D0611127

MEILLEURES GOULES
pour la vie

MONSTER HIGH,

CHEZ CASTELMORE :

PAR LISI HARRISON :

1. Monster High
2. RADicalement vôtre
3. Quand on parle du loup...
4. De vampire en pire

PAR GITTY DANESHVARI :

1. Meilleures goules pour la vie
2. Goules toujours !

Ce livre est également disponible
en format numérique

WWW.CASTELMORE.FR

MEILLEURES GOULES *pour la vie*

TOME 1

GITTY DANESHVARI

TRADUIT DE L'ANGLAIS (ÉTATS-UNIS)
PAR PAOLA APPELIUS

ILLUSTRÉ PAR
DARKO DORDEVIC

CASTELMORE

Remerciements particuliers à Emily Kelly et Darren Sander
Vignettes réalisées par Chuck Gonzales

Titre original : ***Monster High : Ghoulfriends Forever***

Loi n° 49-956 du 16 juillet 1949 sur les publications destinées à la jeunesse

Dépôt légal : octobre 2013

ISBN : 978-2-36231-099-7

CASTELMORE
60-62, rue d'Hauteville – 75010 Paris
E-mail : info@castelmore.fr
Site Internet : www.castelmore.fr

À Francesca et Olivia Knoell,
mes Madrilènes préférées

CHAPITRE premier

Nichée au sein des luxuriantes forêts de l'Oregon était une bourgade que rien ne distinguait des autres. Comme toutes les villes américaines, elle possédait ses boutiques, ses restaurants, ses petites résidences et, bien sûr, ses écoles. Elle était si normale en apparence qu'on l'oubliait facilement. Chaque année, un grand nombre de voyageurs la traversaient sans lui prêter la moindre attention, inconscients de la nature unique et extraordinaire de cet endroit. Mais, si l'on s'arrêtait et qu'on y

regardait de plus près, on s'apercevait vite que la ville de Salem abritait une population plutôt inhabituelle, car là vivaient… des monstres !

Vous pensez qu'une ville de monstres doit être un endroit terriblement mystérieux ? Vous n'y êtes pas du tout. Les habitants de Salem avaient appris depuis belle lurette à faire leur petit bonhomme de chemin sans provoquer l'ombre d'un scandale ou d'un drame, en dehors de l'éternel débat sur le choix du cimetière qui accueillerait le Bal des Morts joyeux en mémoire de tous les bienheureux défunts. De fait, si ordinaire était la communauté de Salem que l'événement le plus exaltant en ce lundi matin était la rentrée des classes au complexe scolaire de Monster High.

À la première heure ce jour-là, l'école ouvrait ses grilles de fer forgé patinées à une nouvelle horde d'élèves. Au milieu de la foule se trouvait une petite gargouille vêtue d'une sublime robe de lin rose ceinturée avec style d'un foulard Diorreur retenu par une broche d'un célèbre joaillier de la place Fantôme. Elle se déplaçait avec précaution, gardant un œil sur sa valise Louis Triton, l'autre sur Roux, son griffon gargouille de compagnie, et surveillait de près ses propres mains. Faites de pierre, les gargouilles sont affligées d'un poids extrême et de griffes monstrueusement acérées. Et Rochelle ne voulait certainement pas d'un accroc à sa robe neuve pour son premier jour dans sa nouvelle école.

—*Pardonnez-moi* [1], madame ? demanda-t-elle de son accent délicieusement scarisien une fois en haut des marches. Je ne voudrais pas me mêler de ce qui ne me regarde pas, mais vous cherchez peut-être ceci ?

Rochelle se baissa pour ramasser une tête aux cheveux noir corbeau et aux lèvres rouge sang

1. En français dans le texte. De manière générale, les italiques indiquent des répliques dans une langue étrangère à l'horroricain, parlé par tous à Monster High (*NdT*).

qu'elle tendit à la femme sans tête qui se tenait dans le hall.

— Merci bien, jeune fille ! J'ai tendance à perdre la tête, au sens propre comme au figuré ! J'ai récemment été frappée par la foudre et j'en ai gardé une certaine « confusion mentale », comme disent les médecins. Rien d'inquiétant, ce n'est que temporaire, expliqua le proviseur Santête en rajustant la sienne sur ses épaules. Voyons voir, est-ce que je vous connais ? Dans mon état actuel, il m'est très difficile de me souvenir des visages et des noms et, pour tout dire, de presque tout.

— Non, madame, vous ne me connaissez pas. Je m'appelle Rochelle Goyle et je viens de Scaris. Je suis une des pensionnaires de votre nouvel internat.

— Je suis horriblement ravie que sa réputation de première institution pour monstres ait valu à notre établissement autant d'inscriptions d'étudiants étrangers. Vous arrivez de Scaris, dites-vous ? Comment avez-vous voyagé ? Pas sur le dos de ce joli griffon, j'espère ? poursuivit le proviseur Santête en s'avisant du petit animal qui s'agitait dans les bras de Rochelle.

— L'alinéa 11.5 du Code éthique des gargouilles nous recommande déjà d'éviter de nous asseoir sur les meubles, alors les animaux ! Nous sommes venus avec Air Transe, une compagnie aérienne très fiable ; leurs appareils sont même équipés de sièges en acier renforcé pour les voyageurs comme nous faits de granit, répondit Rochelle, qui montrait son corps mince au poids pourtant considérable. Madame, puis-je vous demander où se trouve l'internat ?

Avant que le proviseur Santête puisse répondre, Rochelle fut projetée au sol par ce qui avait l'apparence et la force d'une colonne d'eau. Quelque chose de solide, d'humide et d'extrêmement froid enveloppa instantanément Rochelle et Roux d'une brume épaisse. Levant les yeux, la jeune gargouille aperçut une femme grisonnante, petite et replète, qui progressait dans la foule à la manière d'un tsunami, balayant tout sur son passage dans un rayon de trois mètres.

— Mademoiselle Sue Nami ? l'interpella le proviseur Santête alors que la femme aquatique aplatissait contre un mur un pauvre vampire sans méfiance.

Au son de la voix haut perchée du proviseur Santête, Mlle Sue Nami s'arrêta net et fit demi-tour au pas de charge, semant des flaques sur son chemin. De près, Rochelle ne put que remarquer sa peau flétrie, son regard bleu acéré et sa trop forte corpulence. Plantée jambes écartées dans le couloir, les poings sur ses hanches informes, elle ressemblait furieusement à un lutteur, qui plus est de sexe masculin.

— Oui, madame ? gronda Mlle Sue Nami d'une voix de cataracte.

— Cette jeune demoiselle fait partie de nos nouveaux pensionnaires. Auriez-vous l'obligeance de la conduire au dortoir ? la pria le proviseur Santête avant de revenir à Rochelle. Vous êtes entre de bonnes mains. Mlle Sue Nami est notre CPC – conseillère principale des catastrophes.

Par crainte que les élèves ne tirent avantage de sa distraction temporaire, notamment pour les retenues, le proviseur Santête avait en effet décidé de s'adjoindre les compétences de la redoutable Mlle Sue Nami pour gérer tout ce qui touchait à la discipline et au maintien de l'ordre.

— Prenez votre valise et votre joujou et veuillez me suivre, entité scolaire, tempêta cette dernière à l'intention de Rochelle.

— Roux n'est pas un jouet, mais un griffon gargouille apprivoisé. C'est mon petit animal de compagnie. Je ne veux pas vous tromper – ni vous ni personne d'autre. Nous, les gargouilles, sommes très pointilleuses avec la vérité.

— Leçon numéro un : lorsque vos lèvres bougent, vous parlez. Leçon numéro deux : lorsque vos jambes bougent, vous marchez. Si vous n'êtes pas capable de faire les deux en même temps, je vous prierai de vous concentrer sur la seconde activité, répliqua sèchement (façon de parler) Mlle Sue Nami, qui bifurqua brutalement pour s'engouffrer dans le corps de bâtiment par l'immense entrée principale.

Alors qu'elle pénétrait entre les murs emblématiques de Monster High, Rochelle éprouva soudain le mal du pays. Tout ici lui était étranger. Elle qui était habituée aux murs tendus de tapisseries, aux moulures dorées à l'or fin et aux lustres-chandeliers de cristal ! Il faut dire que son ancien établissement, l'École de gargouilles, occupait un château qui avait été jadis la résidence du comte de Scaris. Rochelle reçut donc un choc culturel en se prenant en pleine figure la modernité insolente du sol dallé violet, des murs peints en vert et des casiers roses en forme de cercueil de Monster High. Sans oublier la pierre tombale artistiquement

sculptée dressée au milieu du grand hall pour rappeler aux élèves qu'il était interdit de hurler à la lune, de se transformer, de manger ses petits camarades et de réveiller les chauves-souris qui dorment dans les couloirs.

—*Pardonnez-moi*, madame, ce sont de vraies chauves-souris ? Vous savez certainement que ces animaux sont porteurs de nombreux microbes, objecta Rochelle.

Ses petites jambes devaient tricoter ferme pour tenir le rythme de la femme-vague qui déferlait dans les couloirs.

—Monster High emploie des chauves-souris dûment vaccinées pour lutter contre les parasites. Étant donné que certains élèves apportent des insectes vivants pour leur déjeuner, nos chiroptères font partie intégrante du personnel d'entretien de l'établissement. Si les chauves-souris vous posent un problème, je vous suggère d'en toucher deux mots à madame le proviseur. Et je vous conseille de vous assurer qu'elle a bien toute sa tête à ce moment-là, mugit Mlle Sue Nami en enfonçant une porte ouverte que s'apprêtait à franchir un zombie à la démarche ralentie.

La malheureuse créature oscilla mollement d'avant en arrière sous l'impact, puis s'effondra sur le sol, s'attirant des soupirs de sympathie de la part de Rochelle et de Roux. Mlle Sue Nami, quant à elle, poursuivit sa trajectoire sans dévier d'un millimètre, totalement aveugle aux effets de sa déferlante.

— Loin de moi l'idée de me mêler de vos affaires, madame, mais je me dois de vous poser la question : vous êtes-vous rendu compte du nombre de jeunes monstres que vous avez renversés pendant le court trajet que nous avons parcouru ensemble ? demanda Rochelle le plus délicatement possible.

— Le maintien de la discipline dans un établissement scolaire entraîne des dommages collatéraux. Et maintenant assez lambiné, accélérez l'allure. Je n'ai pas que ça à faire, moi ! rugit Mlle Sue Nami. Si vous êtes capable à la fois de faire fonctionner vos jambes et d'ouvrir vos oreilles, vous profiterez d'une brève visite guidée. Dans le cas contraire, sachez que c'est pour moi une façon de me remettre en mémoire la disposition des lieux ! Sur votre droite, le laboratoire de Sciences folles dingues, à ne pas confondre avec le laboratoire des Sciences complètement folles et délirantes, actuellement en construction dans les catacombes.

— N'y aura-t-il pas un risque de confusion inutile ? s'étonna Rochelle à haute voix tout en glissant un coup d'œil à la classe remplie de becs Bunsen, de fioles de liquides colorés, de lunettes de sécurité, de blouses blanches et d'un tas d'autres appareils biscornus.

— Question non pertinente à laquelle je ne répondrai pas. Je reprends. Ce laboratoire est utilisé

par la classe de Sciences folles pour la fabrication d'un large éventail de produits, comme des lotions hydratantes pour les peaux à écailles, des gouttes antimoisissure pour les têtes de citrouille, des sérums antidémangeaisons pour les peaux à fourrure, de l'huile biologique pour les créatures à rouages, des bains de bouche surpuissants pour les monstres des mers, et beaucoup d'autres choses encore, énuméra Mlle Sue Nami.

Elle s'immobilisa soudain pour secouer son corps comme un chien qui s'ébroue, aspergeant tout le monde à deux mètres à la ronde. Les gargouilles étant conçues pour dévier l'eau, Rochelle et sa robe furent heureusement épargnées.

—Même moi qui kiffe la flotte, je trouve ça vraiment crade, marmonna une créature marine affectée d'un fort accent australien, chaussée de claquettes et vêtue d'un bermuda de surf rose fluo à la coupe impeccable, en s'essuyant le visage avec son foulard en filet.

— Bah ! toi au moins tu n'as pas l'air d'un chien mouillé, grogna une fille loup-garou très stylée qui essayait de redonner du gonflant à sa longue et luxuriante toison de fourrure auburn complètement détrempée.

— Lagoona Blue, Clawdeen Wolf, ne vous abaissez pas à ces récriminations de couloir. Allez vous plaindre en privé, comme les jeunes monstres intelligentes et ambitieuses que vous êtes.

— *Bonjour*, murmura timidement Rochelle, gratifiant les deux filles d'un sourire hésitant.

— Un foulard Diorreur en guise de ceinture ? Ça sort tout droit des pages de *Morgue Magazine* ! Effroyablement fashion ! la complimenta Clawdeen, visiblement scotchée par le chic scarisien de Rochelle.

— *Merci beaucoup*, répondit la jeune gargouille avant de se laisser entraîner dans le sillage de Mlle Sue Nami.

— Devant vous, le clocher, derrière lequel se trouvent respectivement la cour et la cafétorreur. Sur votre gauche, le gymnase, le terrain de basket funéraire, la salle d'étude et enfin la cuisine expérimortelle où sont enseignés les Lards ménagers, énuméra rapidement Mlle Sue Nami en fonçant tel un brise-lame dans les couloirs violet et vert.

Après avoir percuté une rangée de casiers roses en forme de cercueil, la femme-vague vira dans une allée latérale, poursuivant sa visite guidée.

— Et voici le cimetière, où vous pourrez satisfaire à vos obligations en Déséducation physique avec l'option Danses de cimetière. Vous pouvez également rejoindre notre équipe de CRIM – Course de Rollers Incroyablement Monstrueuse. Les entraînements ont lieu dans le labyrinthe. Voici les oubliettes, où se trouve la salle de retenue, et la bibliorreur dans laquelle se déroulent les cours de Littérature des monstres et de Monstrhistoire.

— Serait-il possible d'avoir un plan ? s'enquit poliment Rochelle, Roux gentiment perchée sur son épaule. J'ai une mémoire infaillible pour les faits, mais le cerveau lesté de pierres quand il s'agit d'orientation.

— Les plans sont faits pour ceux qui ont peur de se perdre ou ceux qui sont déjà perdus et ne veulent pas qu'on les retrouve ; aucune des deux situations ne s'applique à votre cas. En outre et dans l'immédiat, vous avez seulement besoin de savoir où se situe le vampithéâtre, qui accueillera la réunion de rentrée.

— Je ne sais justement pas où est le vampithéâtre.

— Eh bien, je vous suggère de le chercher.

— Pourriez-vous m'indiquer le chemin ?

— Certainement pas. Nous avons un circuit à boucler, et le vampithéâtre n'en fait pas partie.

Allons, dépêchez-vous un peu, écuma Mlle Sue Nami en ouvrant une porte en forme de cercueil menant dans une autre aile du bâtiment.

Après avoir remonté un large corridor où ne circulait pas un chat-garou, Rochelle et Mlle Sue Nami parvinrent au pied d'un escalier en colimaçon de couleur rose dans un état de délabrement avancé.

—*Pardonnez-moi*, madame, mais cet escalier ne paraît pas très solide – et ne satisfait certainement pas aux dernières directives en matière de sécurité. L'alinéa 1.7 du Code éthique des gargouilles m'oblige à avertir les gens lorsqu'ils courent un danger et c'est le cas : cet escalier peut s'effondrer d'un moment à l'autre !

—Cessez de vous faire du mouron. On dirait une vieille chaussette mouillée ! la fit taire la femme-vague.

Tirant sa valise Louis Triton sur les marches roses qui gémissaient dangereusement sous son poids, Rochelle se sentit de nouveau dépaysée. Tout lui manquait de son Scaris, des arcs gothiques de sa cathédrale préférée à la façon de râler sans avoir l'air d'y toucher des Scarisiennes. Mais ce qui lui manquait le plus – surtout quand elle devait se coltiner sa valise – c'était son petit ami, Garrott DuRoque. Aussi beau que romantique. Ils ne s'étaient jamais assis ensemble sur un banc de peur que ce dernier s'effondre sous leur poids, mais partageaient bien d'autres choses, dont un rosier qu'il avait spécialement créé pour elle.

Une distraction bienvenue surprit Rochelle en haut de l'escalier. Un délicat rideau de gaze transparente tissée des plus fins fils de soie chatoyait dans la faible lumière, réjouissant le sens inné de la mode et l'amour des étoffes de la jeune Scarisienne. Elle nota mentalement d'en faire confectionner un foulard pour sa *grand-mère*, qui adorerait, elle aussi, cette matière aérienne. Les doigts gris bagués de fleurs de lys gothiques de la petite gargouille s'immobilisèrent à quelques centimètres du merveilleux tissu. Rochelle mourait d'envie de le toucher, mais n'osait pas de peur de l'abîmer, comme tant d'autres soieries victimes de ses griffes avant lui.

Aussi rapide qu'une lame de fond, Mlle Sue Nami lança sa grosse main fripée dans le vaporeux rideau, le déchirant en deux sur toute sa longueur.

— *Quelle horreur !* hurla Rochelle à la vue de l'étoffe lacérée.

— Économisez vos larmes, il se reforme en un rien de temps, gronda Mlle Sue Nami en montrant du doigt l'escadron d'araignées qui tissaient furieusement au-dessus de leurs têtes.

Leur thorax noir de la taille d'une pièce d'un euro tressautait au rythme infernal de leurs pattes qui semblaient danser un french cancan arachnéen, et elles reconstituèrent effectivement le voile déchiré en deux temps, trois mouvements. Bien que Rochelle n'eût jamais été fan de ces créatures à huit pattes, qui avaient la sale habitude de s'installer sur les gargouilles sans demander la permission, elle fut cependant impressionnée par l'organisation et l'efficacité de celles-ci.

Le dortoir se composait d'un long et majestueux couloir aux murs habillés de mousse et percés de vitraux colorés projetant des carrés de lumière sur le sol recouvert de peau de serpent argentée. La douce mousse émeraude qui recouvrait les murs poussait de façon irrégulière, dessinant un relief de monts et de vallées. Quelques lambeaux de soie accrochés au coin d'un talus témoignaient du passage des araignées.

–M. Mort, notre conseiller d'orientation, fait justement l'appel des internes, glouglouta

Mlle Sue Nami en guidant Rochelle par une enfilade de portes jusqu'à la salle commune tout au bout du couloir. Suivez les règles, entité scolaire, et vous n'aurez pas de problème avec moi.

— Les règles, j'adore ça ! Je suis une gargouille. Il nous arrive même souvent d'en créer de nouvelles rien que pour le plaisir, s'enthousiasma Rochelle.

Ce à quoi la femme à flaques se borna à répondre par un hochement de tête avant de refluer dans les profondeurs de l'établissement, abandonnant la jeune gargouille à elle-même.

Seule dans un nouveau pays, où l'on parlait une nouvelle langue, dans une nouvelle école, Rochelle n'avait pas d'autre choix que de prendre son courage à deux mains et d'affronter ses problèmes un par un. Et, pour autant qu'elle sache, quel meilleur candidat que M. Mort pour poser sa première pierre ?

CHAPITRE deux

Une expression des plus moroses plaquée sur le visage, M. Mort, un squelette d'âge moyen, arpentait d'un pas las la petite salle commune. Il était l'expression vivante (ou presque) de la mélancolie, tant sur le plan physique que mental, au point de ne pas pouvoir se rappeler la dernière fois qu'il avait ri, ni même souri. Les épaules voûtées et la tête basse, M. Mort s'efforçait de rappeler à l'ordre quelques retardataires. Mais, au lieu de les réprimander ou de leur adresser un coup de sifflet, il se bornait à soupirer. Ses soupirs, d'abord discrets, gagnèrent rapidement en intensité et se firent plus agressifs. Ils ressemblaient presque à des gémissements avant qu'il réussisse à rassembler le petit groupe de monstres autour de lui.

— Chers élèves, bonjour. J'espère que mon visage osseux et ma voix d'outre-tombe ne vous déprimeront pas trop, déclama M. Mort sur un ton monocorde. Mais, si c'est le cas, je comprendrai.

Le triste sire baissa les yeux et soupira à fendre l'âme, laissant les élèves un peu décontenancés.

— Je suppose que je dois vous montrer vos chambres, marmonna-t-il avec difficulté, comme si le seul fait de parler lui coûtait la dernière goutte d'énergie qu'il possédait encore.

Rochelle fut immédiatement prise de sympathie pour cet homme lugubre, vivant de l'intérieur ses soupirs déchirants et ses froncements de sourcils. En bonne petite gargouille efficace et dévouée, elle ne pouvait s'empêcher de s'occuper de tous ceux qui étaient tristes et déprimés.

— Comme vous le voyez, les dortoirs des goules et des garçons sont séparés. Les garçons sont priés de ne pas rendre visite aux goules et inversement, expliqua M. Mort en leur montrant un embranchement. La chambre des Goules maboules a été assignée à Rose et Blanche Van Sangre de Roumanie.

Deux vraies jumelles, grandes et athlétiques, aux cheveux noir corbeau et à la peau couleur de cendre, vêtues de longues robes à pois et de capes de velours noir, s'avancèrent.

— Bonchourrr, che m'appelle Rrrose Van Sangrrre, et voici ma sœurr Blanche Van Sangrrre. Nous sommes des vampirrres du voyache et n'aimons pas dormirrr plus de trrrois nuits consécutives au même endrrroit, se présenta froidement Rose de son épais accent roumain.

— Peu m'importe où vous dormirez, et même si vous dormez. Pour ma part, je n'ai pas connu une bonne nuit de sommeil depuis… jamais, déclara M. Mort d'une voix plaintive avant de soupirer de plus belle.

— De vraies jumelles ! *Identical twins ! Gemelle identiche !* se mit soudain à brailler un jeune homme du groupe, s'attirant tous les regards.

Le seul garçon tricéphale, que tous allaient bientôt connaître sous le nom de Freddie-Trois-Têtes, avait la sale habitude de formuler ses pensées à haute voix à l'improviste. Et si ses trois têtes disaient toujours la même chose au même moment, elles s'exprimaient chacune dans une langue différente – généralement le scarisien, l'horroricain et le léthalien, quoique le zombie, le gobelinois et le peurtugais se frayaient quelquefois un chemin jusqu'à ses lèvres.

— Nous ne sommes pas identiques, et nous prrrenons trrès mal le fait qu'on nous confonde, carr nous sommes trrès différrrentes. Comme peut le voirr n'imporrte quel crrrétin, les cheveux de Rrrose sont *beaucoup* moins brrrillants que les miens, répondit rageusement Blanche en empoignant la grande clé dorée avant de s'éloigner à grands pas avec sa sœur.

— La chambre des Macchabées déjantés est attribuée aux démons d'Halloween Marvin, James et Sam o'Lantern.

Trois petites créatures aux membres fins comme des spaghettis et aux grosses têtes de citrouille sautillèrent vers M. Mort, reçurent leur clé et se mirent à chanter.

— *Mlle Sue Nami n'est pas une femme-vaguelette, elle fait régner l'ordre à la baguette*, entonnèrent-ils, accompagnés de leurs grenouilles-taureaux coassant en canon sur un rythme de basse.

Tout le monde sait que les amphibiens ont le rythme dans la peau.

Les démons d'Halloween, descendants du Chevalier Sans Tête et par là même lointains cousins du proviseur Santête, aimaient jouer les chœurs antiques et décrire en chanson tout ce dont ils étaient témoins.

— La chambre des Cadavres exquis sera pour Freddie-Trois-Têtes à lui tout seul, car on nous a prévenus que ses têtes parlent dans son sommeil, annonça M. Mort, tandis que le garçon tricéphale détournait ses six yeux d'un air gêné.

—La chambre des Tristes Cryptiques sera partagée par Cy Clops et Henry Lebossu.

Le beau mais timide Cy Clops fit un pas de côté tandis qu'Henry Lebossu, un rouquin affligé d'une scoliose extrême, se rapprochait de M. Mort pour obtenir leur clé.

—Salut, m'sieur M, je m'appelle Henry et je kiffe à mort Monster High, surtout depuis que le coach Igor enseigne ici. Ce mec est une légende, s'échauffa Henry devant M. Mort, qui détourna les yeux en soupirant.

—Tout le monde adore le coach Igor, l'équipe de basket funéraire, les POM POM Monstres et notre équipe de CRIM. Pourquoi personne n'éprouve les mêmes sentiments pour le conseiller d'orientation ? gémit tristement M. Mort.

—On ne peut pas le laisser comme ça, chuchota Rochelle à l'oreille de Roux en soulevant le griffon gargouille pour lui montrer à quel point M. Mort était abattu.

—La chambre des Zombis repentis revient à Bruno Vaudou, qui l'occupera seul en raison de sa dévotion envahissante pour Frankie Stein.

Bruno Vaudou, une poupée vaudoue de taille humaine aux cheveux bleus et aux yeux en boutons de bottine arborant un certain nombre d'épingles plantées dans son corps de chiffon, vouait une admiration sans bornes à sa camarade de classe Frankie Stein. Après tout, c'était elle qui l'avait créé dans le laboratoire de son père.

—Merci, Monsieur Mort, dit aimablement le garçon-chiffon avant de s'éloigner à pas lents dans le couloir.

—Et, pour finir, Venus McFlytrap, Robecca Steam et Rochelle Goyle partageront la chambre des Horreurs et des Pleurs.

Cherchant des yeux qui étaient ses compagnes de chambre, Rochelle tomba sur une goule très originale avec sa peau verte et ses cheveux rasés sur une moitié du crâne. La fille pencha la tête sur le côté et les lianes enroulées autour de ses poignets firent bruisser leurs feuilles.

Le Scaris de Rochelle était décidément bien loin !

CHAPITRE trois

— Anguillary Clinton est mon idole, déclara la fille aux bracelets-lianes et au look fluo punk en ouvrant la porte de la chambre des Horreurs et des Pleurs, Rochelle sur ses talons. Tu savais qu'elle a fait huit jours de grève de la faim pour protester contre le dégazage sauvage dans les océans ?

Accroché sur le mur qui leur faisait face trônait un portrait d'Anguillary Clinton, la présidente en exercice de la Fédération internationale des monstres. En tant que chef du gouvernement mondial des monstres, elle était décriée par certains et portée aux nues par d'autres.

— Les poissons peuvent facilement se passer de nourriture pendant une semaine. Ce qui n'enlève rien à l'action d'Anguillary Clinton. Je me dois de le mentionner parce que je suis une gargouille et que j'ai l'obligation de partager toute information utile, se justifia maladroitement Rochelle avant de tendre la main à la fille. Je m'appelle Rochelle Goyle, à propos.

— Moi, c'est Venus McFlytrap, et voici Chewlian, ma plante carnivore de compagnie, répondit la punkette. (Elle ramena ses longues mèches rose tyrien et vertes sur une épaule.) Je suis arrivée plus tôt pour l'installer. Tu sais comment sont les plantes… elles détestent le changement, ajouta Venus en passant ses doigts sur les cheveux roses rasés très court de l'autre côté de son crâne.

— Je dois dire qu'il a de très belles dents, approuva Rochelle en avisant la dentition d'un blanc éblouissant plantée dans les gencives d'un beau vert sain de Chewlian.

— Ouais, il est assez croquant, approuva Venus en soufflant un baiser de pollen – une bouffée de fines particules orangées – sur sa plante carnivore.

— *Pardonne-moi*, je te présente Roux, mon griffon gargouille de compagnie.

Le petit animal caracola vers Chewlian en agitant les ailes et la queue pour le saluer. Malheureusement, dès que le griffon gargouille fut à portée de dents, Chewlian lui mordit le bec. Et pas juste le bout : la plante carnivore

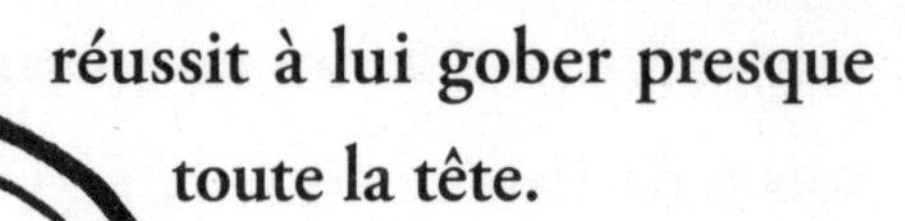

réussit à lui gober presque toute la tête.

— Non, Chewlian ! le gronda Venus. Je suis désolée, il en est encore au stade oral. Il a la vue basse et a du mal à distinguer les petits copains des friandises. Ça va aller pour Roux ?

Rochelle eut le temps de noter le sourire malveillant et légèrement sadique de Chewlian avant de se tourner vers son griffon gargouille chérie.

— Oh oui, tout va bien pour lui. Son corps est en granit, et c'est assez difficile d'en arracher un morceau.

— Chewlian est vraiment trop chou une fois qu'on le connaît, mais je te conseille de ne pas laisser traîner tes doigts, avertit Venus en balayant la chambre d'un regard circulaire.

Regarde-moi ça. Est-ce que tu peux le croire ? Je suis horrifiée !

Rochelle examina soigneusement la pièce, petite mais confortable, cherchant des entorses possibles aux règles de sécurité, sans rien trouver. Entre les murs enduits d'un fin crépi se trouvaient trois lits faits au carré, deux fenêtres moyennes, une armoire et un énorme fauteuil spongieux. Très proche de l'anémone de mer, le siège bien rembourré semblait prêt à avaler tout ce qui se trouvait à sa portée. Les lits étaient équipés de draps en bandelettes de momie et de couvertures en poils de mue de loup-garou tricotés serrés. Ni le linge de lit ni le fauteuil ne lui parurent « horrifiants » et Rochelle était un peu perdue.

— Tu es vexée que les matériaux ne soient pas de meilleure qualité ? Tu ne dois pas oublier que nous sommes dans un établissement scolaire, pas dans un hôtel cinq crânes, expliqua-t-elle très sérieusement.

— Allô, la Terre ? Je parle des ampoules non écologiques et de l'absence de poubelles de tri sélectif. C'est complètement irresponsable ! enchaîna Venus en frappant rageusement le sol de sa low-boot rose compensée à talon.

Fille de la Plante, Venus McFlytrap avait hérité de son tempérament explosif, surtout quand il s'agissait de la protection de la nature. Elle avait beau s'efforcer de contrôler la diffusion de ses pollens de persuasion, elle n'y parvenait pas toujours. Quand on la contrariait, Venus avait ainsi vite fait de souffler ses particules orange vif, obtenant une légion d'adorateurs soumis. Selon la force de son souffle, les effets de ses pollens pouvaient durer de quelques minutes à plusieurs heures. Mais, le plus ennuyeux, c'était qu'ils laissaient des taches indélébiles sur les vêtements.

Alors que Rochelle s'apprêtait à corriger Venus sur son évaluation de la situation, la porte de leur chambre s'ouvrit à la volée et cogna violemment contre le mur.

— Bonté divine ! s'exclama vivement une fille couverte de rivets au visage humide de vapeur. Cette école est infestée de chauves-souris, et je suis très sérieuse. Je viens juste d'en voir une dans le couloir, elle était énorme. Cela m'a contrariée et déstabilisée, j'ai eu mes vapeurs, et mes cheveux se sont crêpé le chignon. Et les crêpes c'est très bon quand on s'appelle Suzette, mais ça ne vaut rien pour les cheveux d'une goule !

La nouvelle venue, qui semblait assemblée comme une machine à vapeur de l'ère industrielle, jouait avec ses longs cheveux bleus, rougissante sous les regards de Rochelle et Venus.

— Robecca Steam, je présume ? devina Venus avec un sourire en coin.

— Sapristi, vous devez croire que j'ai le cerveau rouillé ! Je n'en reviens pas d'avoir ouvert cette porte sans même me présenter ! Oui, je suis Robecca Steam ! Nom d'une pipe en bois ! je ne me suis pas sentie aussi nerveuse depuis mes premières acrobaties de haute voltige devant Père. C'était il y a des lustres, avant mon démantèlement ; et je suis très excitée depuis qu'on m'a réassemblée ! s'écria Robecca, la vapeur lui sortant des oreilles.

Chaque fois qu'elle était en colère ou nerveuse, Robecca Steam crachait des fumerolles par les oreilles et les narines. Elle n'adorait déjà pas ses vapeurs, mais son entourage les détestait carrément. Disons que ses jets intempestifs avaient déplissé plus d'une jupe et fait friser la fourrure de plus d'un monstre. Il faut cependant noter que la vapeur n'a pas que des côtés négatifs, et qu'elle procure un nettoyage facial naturel – d'où le teint perpétuellement frais de Robecca.

—*Bonjour*, Robecca. Je m'appelle Rochelle et je suis très heureuse de faire ta connaissance.

— Un accent scarisien ! C'est le clou du spectacle !

— Vous avez encore des spectacles de fakirs, en Amérique ? demanda Rochelle, très sérieuse.

— Ça, par exemple ! rugit de rire Robecca. Ce serait vraiment épatant. Et même très piquant, non ?

Un bruissement de feuilles attira l'attention de la fille à vapeur sur la belle plante à la peau verte à côté d'elle.

— Salut, moi c'est Venus.

— Vous ne pouvez pas savoir à quel point je suis contente de partager cette chambre avec vous, les goules. C'est exactement pour cette raison que j'ai quitté la maison de Mlle Hortimarmot. Je savais que la vie en pension serait la grande classe. Imaginez toutes ces nuits blanches à refaire le monde…

— Je me dois de vous prévenir que je suis très

stricte sur l'horaire du coucher, l'interrompit Rochelle.

—Je crois qu'on ferait mieux de s'activer si on ne veut pas être en retard à la réunion de rentrée, ajouta Venus en repêchant un stylo dans la gueule de Chewlian.

—Retard ! Oh, comme j'aimerais rayer ce mot de mon vocabulaire ! J'ai un gros problème avec les horaires depuis que mon horloge interne s'est déréglée. Mais je me suis promis de faire un effort cette année. Cela devient très difficile pour Penny, mon pingouin mécanique de compagnie. J'ai parfois tellement la pression de peur d'être en retard que je l'oublie un peu partout… Et, maintenant que j'y pense, je ne sais pas très bien où elle est en ce moment même. J'espère que je ne l'ai pas laissée au centre commercial des horreurs – ou, pire encore, dans les toilettes du centre commercial des horreurs. Penny fait sa délicate avec les toilettes publiques.

Elle n'a pas vraiment tort d'ailleurs, la plupart auraient bien besoin d'un bon coup de Kärcher, débita Robecca d'une seule traite avant de se laisser tomber dans le grand fauteuil tout mou pour tamponner les résidus d'humidité sur son front.

Robecca semblait réellement désireuse de travailler sur son défaut, aussi ses nouvelles colocataires la chargèrent-elles de surveiller l'heure, au sens propre comme au sens figuré. Elle s'installa en face de la pendule avec mission de les prévenir cinq minutes avant l'heure de partir.

—Je crois que je viens de trouver le coin idéal pour mon silo à compost, déclara Venus en se penchant à la fenêtre.

—L'alinéa 1.7 du Code éthique des gargouilles m'oblige à avertir quiconque court un danger. Venus, les silos à compost sont des nids à microbes. Les scientifiques pensent même qu'ils sont à l'origine de l'épidémie de grippe putride qui a sévi l'an dernier en Mongolie orientale.

— Tu sais ce qui est aussi un nid à microbes ? Les centrales nucléaires. Alors, occupe-toi de ce qui compte et oublie mon compost ! rétorqua Venus, manifestement vexée.

— Venus, *je t'en crie*, laisse-moi t'expliquer. Je te souhaite bonne chance pour ton silo à compost. C'est juste qu'en tant que gargouille je me dois d'avertir mon entourage des dangers et de corriger les déclarations erronées. C'est pourquoi je voudrais te faire remarquer que les centrales nucléaires ne sont pas des nids à microbes. Elles peuvent éradiquer toute vie sur terre, humains et monstres confondus, en quelques secondes, mais ce sont des sources de germes très improbables.

— C'est goule, je comprends, tu essaies juste d'aider, dit Venus, qui était sincère.

Son tempérament soupe au lait était aussi prompt à se refroidir qu'à s'enflammer.

Rochelle la rejoignit à la fenêtre en souriant.

— Regarde-moi tous ces pins dehors. Tu n'aimes pas l'oxygène frais ?

— Est-ce qu'on peut réellement parler d'oxygène *frais* ? Est-ce qu'il existe autre chose ? Quoique, on peut stocker l'oxygène dans des réservoirs, et je suppose qu'on ne peut pas appeler ça de l'oxygène frais, réfléchit posément Rochelle.

— Tu ne peux pas t'empêcher de reprendre les gens, c'est ça ? demanda Venus avec une pointe d'exaspération.

— Que puis-je y faire ? Je suis une gargouille, répliqua Rochelle en tambourinant machinalement des doigts sur le vase en porcelaine près de sa main. Nous sommes très pointilleuses sur l'exactitude.

Tambouriner des doigts était la plus problématique des petites manies de Rochelle. Elle avait l'habitude de tapoter sur ce qui se trouvait à sa portée quand elle parlait, réfléchissait, et même parfois en dormant. Les surfaces résistantes comme le marbre, le bois et le métal supportaient sans souci le poids de ses doigts de granit, mais les objets plus fragiles, comme la porcelaine, n'avaient pas cette chance.

— *Zut ! Oh là là !* s'exclama Rochelle, qui venait de réduire le vase en une masse humide hérissée d'éclats de porcelaine.

— Ne t'en fais pas pour ça, lui répondit Venus avec décontraction. Il n'y a rien de plus déprimant que des fleurs coupées ; c'est comme un cercueil à ciel ouvert. Elles ont l'apparence de la vie, mais elles sont mortes.

Aussi soudainement qu'une attaque de grippe putride, Robecca s'avisa du temps qui passait avec un malaise certain et un chouïa de gêne.

— Sac à papier ! comment ai-je pu encore oublier ? rugit-elle, la vapeur lui sortant par les deux oreilles à la fois.

Il s'était passé que, perdue dans la contemplation des aiguilles de la pendule, Robecca avait laissé dériver son regard vers ses bottes-fusées, qu'elle avait alors entrepris d'huiler sans plus se soucier de l'heure.

— Vous vous souvenez que je devais vous avertir cinq minutes avant le départ ? Eh bien, c'était il y a dix minutes ! toussota Robecca. Venez ! il n'y a plus une seconde à perdre !

— Est-ce que nous devons courir ? s'enquit Rochelle en traînant des pieds d'un air las à la suite de Robecca et Venus.

Alors que les gargouilles sont particulièrement rapides quand elles volent, elles sont plutôt lentes sur la terre ferme. Leurs jambes de pierre ne sont pas faites pour la vitesse et, pour tout dire, elles sont surtout faites pour rester immobiles.

— Saperlipopette, je suis désolée, les goules ! Je pensais vraiment être à l'heure cette fois-ci, mais je me trompais, visiblement. Mon manque de ponctualité est contagieux ! vrombit Robecca en les entraînant dans l'escalier rose.

— Sérieux, Robecca, il n'y a pas de quoi casser trois pétales à une marguerite. On sera en retard à une réunion, et alors ? Comme je le dis toujours, il n'y a pas mort de monstre, lâcha Venus avec un fatalisme cool très côte Ouest.

— Tu me passes la pattemouille pour me dire que je suis en surchauffe ? Bigre ! je me sens toute grippée rien qu'à l'idée de ne pas paraître sous mon meilleur jour !

CHAPITRE quatre

En tant qu'aînée et unique fille du jardin de monstres de ses parents, Venus était non seulement habituée à prendre les choses en main, mais n'attendait que ça.

—Arrêtez-vous, les goules ! On se calme, nous sommes perdues dans une école, pas au fin fond de la Sibérie orientale. Je suis certaine qu'en prenant le temps de regarder autour de nous nous trouverons un plan qui nous indiquera comment nous rendre au vampithéâtre, affirma-t-elle d'un ton rationnel.

La première en ébullition, l'autre lourde comme la pierre, Robecca et Rochelle opinèrent du chef avant de bifurquer dans un couloir secondaire. Venus fut momentanément distraite par une inscription sur une pierre tombale avisant les élèves de l'interdiction formelle de se lier d'amitié avec les chauves-souris sous peine de déclencher des guerres de rivalité chez ces dernières. Elle en fut très étonnée, elle qui avait toujours considéré les chauves-souris comme des êtres socialement matures, en tout cas comparés aux monstres adolescents.

— Ces immenses couloirs déserts me fichent les chocottes, chuchota Robecca à Rochelle. Où est passé tout le monde ?

— Je suis désolée, mais je ne te suis plus. Qu'est-ce que c'est, les « chocottes » ?

— C'est quand ça te fait dresser les rivets sur la nuque, tu vois ce que je veux dire ? expliqua Robecca.

— Ça ressemble à une électrocution, ce qui est très grave.

— Les goules ? appela Venus comme une odeur pestilentielle envahissait tout à coup les couloirs.

De toute sa vie de plante, Venus n'avait humé odeur si repoussante – un mélange de terre pourrie, de cornichon et de foie avarié. Des effluves si révoltants qu'elle sentit littéralement les poils se dresser à l'intérieur de ses narines. Et, comme si l'odeur ne suffisait pas, elle entendit de légers craquements, telles des brindilles sur du ciment, derrière elles.

— Robecca ? Rochelle ? clama Venus plus fort.

Les interpellées se retournèrent… et poussèrent un cri, s'étranglèrent et grognèrent à la vue qui s'offrait à leur regard.

— Par les moustaches du grand mamamouchi ! mais qu'est-ce que c'est que ce machin ? vrombit Robecca en écrasant une main sur sa bouche.

— *Quelle horreur !* hurla Rochelle à pleins poumons, le visage déformé par le dégoût.

Une giclée d'adrénaline se répandit dans l'organisme de Venus, préparant chacune de ses nervures à affronter l'inconnu. Devant elle se trouvait un troll obèse à la peau épaisse couverte de pustules et aux longs cheveux crasseux dévorés de parasites. Tandis que Venus luttait vaillamment contre l'envie de vomir, la créature pleine de bourrelets poussa un grognement sourd en dénudant ses crocs dégoulinant de bave gluante.

— Réfléchis, Venus, s'enjoignit-elle à mi-voix. Que ferait le docteur Goulittle dans la même situation ?

— Qui docteur Houlittle ? grommela le troll dans un horroricain approximatif, deux filets de bave encadrant les coins de sa bouche.

— Euh… c'est un type qui communique avec les animaux, expliqua Venus d'un air gêné. Vous avez peut-être lu ses aventures, quoique j'en doute beaucoup.

— Quoi vous faire dans hall ? aboya hargneusement le troll en dénudant encore une fois ses vilaines dents.

— C'est notre premier jour dans cette école et nous sommes perdues, répondit Venus sans se démonter.

— Pourriez-vous nous indiquer le chemin du vampithéâtre ? demanda gracieusement Rochelle.

Le troll la regarda fixement pendant quelques secondes avant de lever une main pour bien montrer ses longues griffes mal entretenues, pointant un doigt vers le couloir.

— Vampithéâtre ici, indiqua le troll, un filet de bave épousant lentement le relief irrégulier de son menton.

— Merci, vous êtes bien aimable. Enfin, sauf quand vous m'avez montré les dents, ajouta Venus d'un ton neutre.

— Prochaine fois vous retard, moi mange vous, éructa le troll avec un sourire à faire froid dans le dos.

— D'accord, super. Ça me paraît un bon plan, dit Venus en entraînant les autres filles.

— Je me trompe ou il a menacé de nous manger ? demanda Rochelle, incertaine d'avoir bien compris.

— C'est bien ce qu'il a dit, mais je ne m'inquiète pas. Sa bouche est bien trop petite pour contenir davantage qu'une main. Et nous avons la chance d'en avoir deux, répliqua Venus.

— Diable, se faire dévorer – ou même grignoter – par un troll, voilà qui doit être épouvantable ! s'écria Robecca.

— Salut, je suis content de voir que je ne suis pas le seul à être en retard, dit un garçon au look soigné dans un pull écossais sans manches en tenant la porte du vampithéâtre ouverte pour les filles.

Venus l'examina attentivement, étonnée de son apparence ordinaire. Il avait même l'air si normal qu'elle ne put s'empêcher de penser que ce n'était *pas* normal.

Elle posa un doigt sur ses lèvres pour faire taire Robecca et Rochelle, et leur fit signe de la suivre dans le grand auditorium pourpre et or. Décorée dans le style égyptien, l'immense pièce alignait des statues de pharaons et de sphinx tout autour de l'estrade. Pendant que Venus s'efforçait de leur trouver des places, Robecca gobait le décor magique, éblouie par les ors et les lumières. Aux yeux de Rochelle, en revanche, tout ce bling-bling était aussi vulgaire qu'une attraction de Flippéland Scaris.

Fatiguée de chercher en vain des places assises, Venus guida les filles vers un espace à peu près vide dans une des allées.

— Comme tu le sais sans doute, nous les gargouilles adorons nous asseoir par terre, où nous courons moins de risque de casser un meuble. Il est cependant de mon devoir de t'avertir que cela va à l'encontre des règles de sécurité incendie de l'établissement, murmura Rochelle avec ferveur.

— J'en prends note, répondit Venus, qui s'assit tout de même sur une marche.

— C'est pas trop bath ? On dirait qu'on fait du camping, ajouta Robecca, toujours aussi enthousiaste.

Le sol de béton était froid et dur, mais les filles avaient une vue dégagée sur l'estrade où étaient assis Mlle Sue Nami, M. Mort, une poignée de professeurs qu'elles ne connaissaient pas et quelques trolls, qui regardaient le proviseur Santête essayer de se rappeler ce qu'elle voulait dire. Telles des volutes de vapeur s'échappant d'une bouilloire, les mots s'évaporaient de son cerveau. Elle prit ainsi plusieurs faux départs, s'apprêtant à parler et se ravisant au bout de quelques secondes. Et puis, juste au moment où elle allait oublier qu'elle avait oublié, tout lui revint d'un coup.

— Bienvenue à Monster High ! Nous sommes effroyablement heureux de vous avoir tous ici réunis pour ce qui est certainement la rentrée la plus monstrueuse de tous les temps. Rien de plus excitant qu'une nouvelle année scolaire. Vous aurez la possibilité de vous remplir l'esprit de tout ce qui vous plaira. Et je puis vous dire, en tant que personne affligée d'un cerveau aux abonnés absents à la suite d'une infortunée rencontre avec la foudre, qu'il ne faut pas le gâcher, déclara le proviseur Santête avant d'afficher une expression perplexe. Qu'est-ce que je disais ? Ah oui ! bien sûr, le club de théâtre est assez horrifique ici, à Monster High. *La Gazette des monstres* a même qualifié notre *Cauchemar d'une nuit d'été* de l'an dernier de « spectacle à hurler » !

— Madame, nous ne parlions pas du club de théâtre, l'interrompit Mlle Sue Nami. (Elle se rapprocha du proviseur Santête et lui glissa quelques mots à l'oreille.) Nous étions en train d'accueillir les élèves.

— Merci, mademoiselle Sue Nami. Votre mémoire est ma mémoire, et vous êtes bien aimable de m'en faire profiter, souligna le proviseur Santête avec reconnaissance avant de reprendre son discours. Et nous sommes monstrueusement ravis d'accueillir cette année à Monster High notre premier contingent d'internes ! La majorité d'entre vous viennent de pays lointains, et nous avons transformé tout le premier étage de l'aile est en dortoirs ! Nous espérons que tous les nouveaux se plairont chez nous !

Quelques faibles applaudissements éclatèrent dans le vampithéâtre comme Venus poussait du coude Robecca et Rochelle. Le proviseur Santête parlait d'elles !

— Et maintenant, afin de vous présenter une autre nouveauté dans notre établissement, j'appelle Frankie Stein et Draculaura sur le podium.

Deux filles superbes gravirent les marches de l'estrade. Frankie Stein, la fille de Frankenstein, était cousue entièrement à la main et possédait une peau couleur menthe à l'eau ; Draculaura, la fille de Dracula, était une goule pleine d'entrain aux cheveux roses et aux crocs de porcelaine parfaitement alignés.

— Salut, tout le monde. Pour ceux qui ne me connaissent pas, je suis Frankie Stein, et voici ma copine Draculaura. J'ai l'impression que c'était hier que j'étais moi aussi une nouvelle élève perdue dans les couloirs. Et regardez-moi aujourd'hui ! Je viens vous présenter une nouvelle goule, ou plutôt un nouveau professeur, annonça Frankie, puis elle passa la parole à Draculaura.

— Merci d'accueillir chaleureusement la *signorina* Sylphia Flapper, qui nous arrive tout droit de Léthalie afin de nous initier à l'art de chuchoter à l'oreille des dragons, énonça avec ardeur Draculaura, levant les mains pour applaudir.

Une femme-dragon européenne aux traits délicats, serrée de près par une escouade de trolls, s'avança sur l'estrade pour saluer le public.

— Et elle n'est pas venue seule, reprit Frankie. Elle a amené avec elle une équipe de vieux trolls, qui, sous la direction de Mlle Sue Nami, seront chargés de pa*troll*er les couloirs.

— Nous trolls ! Vous suivre règlement ! grogna hargneusement à la foule le cercle des anciens entourant Miss Flapper.

— Comme vous pouvez le constater, ils ne parlent pas encore très bien horroricain, poursuivit Draculaura. Et je crois qu'ils ne maîtrisent pas non plus l'hygiène des cheveux et des ongles, ajouta-t-elle entre ses dents.

Les trolls, surtout très vieux comme ceux-ci, étaient connus pour leur capacité à maintenir l'ordre, à l'exception notable de ce qui concernait leur apparence physique. Ils refusaient tout net de raccourcir leur système pileux (ce qui incluait aussi malheureusement les poils de nez) ou leurs griffes. Peut-être plus grave encore, ils refusaient de se laver plus d'une fois tous les quinze jours, d'où la couleur grise de leur peau, couverte d'une épaisse couche de crasse brunâtre.

La nouvelle prof se dirigea vers le micro tandis que Frankie et Draculaura s'écartaient.

— Bonjour, mes goules chéries, prononça Miss Flapper d'une voix rauque et caressante à la fois qui envoûta d'emblée tous ceux qui se

trouvaient à portée. Je suis très honorée de me trouver parmi vous, même si mes collègues et mes élèves en Léthalie me manquent. Ils ont cependant eu la bonté de m'autoriser à emmener avec moi ce bataillon de trolls. Ce ne sont pas seulement des experts de l'ordre et de la discipline, mais aussi des dresseurs de dragons sauvages. J'espère très vivement que vous saurez bientôt comme moi apprécier tout leur charme et leurs nombreuses qualités.

La voix enjôleuse de Miss Flapper était parfaitement assortie à sa captivante beauté. La peau diaphane, une bouche en forme de cœur, des yeux verts flamboyants et de longs cheveux roux, elle était à couper le souffle. Et, comme toutes les femmes-dragons européennes, pas une écaille ni l'ombre d'une queue qui dépassait. Elle était habillée en haute couture de la tête aux pieds, ses vêtements habilement adaptés à ses élégantes ailes.

— Mâtin ! cette femme est épatante, chuchota Robecca.

— Je me demande ce qu'elle utilise comme exfoliant, s'interrogea Rochelle en caressant ses propres jambes de granit. Sa peau a l'air si douce.

— Je n'arrive pas à croire que c'est une chuchoteuse de dragons. Ces gens-là sont généralement couverts de brûlures après des années d'incidents techniques et tout ça, marmonna Venus.

Frankie Stein revint sur le devant de la scène.

— Comme le savent beaucoup d'entre vous, le Bal des Morts joyeux approche à grands pas. Et pour nous en dire plus sur les réjouissances de cette année, voici la reine et le roi de l'école en titre, j'ai nommé Cleo de Nile et Deuce Gorgon.

La foule acclama à grands cris une princesse égyptienne totalement momifique à la peau couleur café au lait et aux longs cheveux noirs méchés d'or qui se dirigeait vers l'estrade. Un garçon canon avec des lunettes de soleil et une crête de serpents sur la tête la suivait de près.

—Salut, les gens. Je suis Cleo, et voici Deuce, mon petit ami. Comme tous les ans, le Bal des Morts joyeux se tiendra le lendemain des évaluations de fin de trimestre au Squelettarium, le plus vieux cimetière de Salem. Il s'agit de l'événement le plus important de l'année, et vous êtes priés de vous mettre sur votre trente et un. Ce qui veut dire, pas de fourrure terne, de crocs jaunis ou d'écailles sèches.

—La soirée débutera à 23 heures tapantes et durera jusqu'à l'aube, enchaîna Deuce, juste avant d'être percuté par Mlle Sue Nami, ce qui fit sauter ses lunettes.

Le temps qu'il les remette en place devant ses yeux, un troll passa dans sa ligne de mire. La créature crasseuse fut instantanément changée en pierre, arrachant à Deuce un grognement de contrariété.

—Ça ne va pas recommencer!

— Le temps imparti est écoulé et cette réunion est terminée. Toutes les entités scolaires doivent quitter la salle une par une, décréta Mlle Sue Nami en s'ébrouant comme un chien mouillé. Vos emplois du temps vous sont adressés par mail en ce moment même. Que ceux qui n'ont pas d'iCercueil empruntent celui d'un camarade pour consulter leur messagerie.

Les jeunes monstres se déversèrent joyeusement dans les couloirs, les yeux rivés sur leurs iCercueils.

— Saperlotte ! grinça Robecca en percutant Cy Clops, son nouveau voisin de dortoir, les rouages de son genou protestant bruyamment. Oups, désolée ! J'ai vraiment besoin d'une vidange !

— Se déplacer dans une foule est toujours risqué, expliqua gravement Rochelle. Griffes retournées, pattes écrasées, fourrures égratignées sont légion.

— Bah… ce n'est qu'un groupe d'écoliers, pas la Transylvanie une nuit de pleine lune. Je pense qu'on va pouvoir gérer, répliqua Venus.

— Tu es parfaitement en droit d'ignorer les avertissements d'une gargouille, mais une gargouille ne peut jamais se soustraire à son devoir de prévention, débita Rochelle d'un air guindé.

— C'est un de ces proverbes qu'on trouve sur les biscuits chinois ? se moqua Venus en tirant son iCercueil de son cartable recyclé.

— Certainement pas. Les gargouilles ne croient pas aux diseuses de bonne aventure ni aux biscuits chinois, répondit Rochelle, très sérieuse. Mais nous adorons la cuisine chinoise.

— C'est pas trop bath ? On a les mêmes cours ! s'échauffa Robecca en comparant les écrans de leurs iCercueils.

— Oui, mais nous n'avons pas « Chuchoter à l'oreille des dragons niveau 1 », grommela Venus. Je suis vraiment déçue. Les reptiles m'adorent, en général.

— Pas moi. Et je n'ai jamais beaucoup aimé les chuchotements. Je ne peux me défaire de l'idée que les gens chuchotent à voix basse ce qu'ils ne devraient pas dire tout haut, expliqua Robecca.

— Salut, vous êtes nouvelles ? demanda Frankie Stein en s'approchant du trio, suivie d'une fille zombie à la démarche ralentie.

— C'est si évident que ça ? répondit Venus.

— Il n'y a plus que vous et les trolls dans la salle. Je m'appelle Frankie Stein, et voici Ghoulia Yelps.

— Grrrhhhmmmm, marmonna Ghoulia, à la grande confusion de Venus.

— Je suppose que tu ne parles pas le zombie, en conclut Frankie.

Venus haussa les épaules.

— *Bonjour*, en profita pour saluer Rochelle. Je m'appelle Rochelle Goyle et voici Robecca Steam et Venus McFlytrap. Nous partageons une chambre dans le nouvel internat.

— C'est trop électrifiant ! Vous allez vous plaire ici ! Si vous avez besoin de quoi que ce soit, dites-le-moi.

— Est-ce que tu saurais par hasard où a lieu le cours de Littérature des monstres du docteur Clamdestine ? s'enquit Rochelle en consultant son emploi du temps sur son iCercueil.

— C'est à la bibliorreur – tu continues tout droit, tu tournes à droite après la pierre tombale, puis à gauche à la corne d'abondance. Bonne chance! lança Frankie avant de repartir vers ses propres cours, Ghoulia fidèle au poste sur ses talons.

CHAPITRE cinq

La bibliorreur était une pièce glacée pleine de courants d'air, de moutons de poussière et de vieux meubles qui grincent où se trouvaient rassemblées toutes les histoires de monstres jamais contées. Classés par espèces, les livres qui y étaient conservés avaient pour auteurs ou protagonistes une large gamme de créatures, des plus connues aux plus obscures. Tous ces volumes représentaient davantage que la Littérature des monstres, c'était la Monstrhistoire : l'histoire des monstres racontée par eux-mêmes.

Le docteur Clamdestine fit son entrée dans la bibliorreur au moment précis où la sonnerie émettait son cliquètement métallique annonçant le début des cours. Vêtu d'un costume de tweed renforcé de velours marron aux coudes, un cartable de cuir brun à la main, le monstre des mers d'âge moyen avait tout du stéréotype du professeur de littérature, hormis une légère odeur d'iode.

— Chers élèves, salua-t-il à la cantonade.

Il baissa ensuite la tête comme pour se recueillir en silence pendant trente bonnes secondes. Il tira alors une pipe de la poche de sa veste avant de poursuivre.

— J'adore me vider l'esprit avant de plonger dans les eaux troubles de la Littérature des monstres.

— *Pardonnez-moi*, docteur Clamdestine, mais il est catégoriquement interdit de fumer à Monster High. En plus, c'est très mauvais pour votre santé, protesta Rochelle avec fermeté.

— Et la nôtre aussi. La fumée me pompe la sève, chuchota Venus à Rochelle.

— Ceci n'est pas une pipe, jeune gargouille. Cela en a certes l'apparence, mais ce n'est pas une pipe. De fait, c'est un morceau de fromage savamment sculpté que je mangerai très certainement pour mon déjeuner. Voyez-vous, le travail d'un professeur ressemble beaucoup à celui d'un comédien. Nous nous servons d'accessoires pour accéder à nos différents personnages. Et cette pipe en fromage m'aide à devenir mon moi intellectuel, le grand docteur Clamdestine.

— Tu m'en diras tant, j'ai plutôt l'impression d'écouter un bonimenteur de cirque qu'un professeur, ronronna Robecca.

— C'est parti pour mon premier monologue dans la scène de l'appel, annonça le docteur Clamdestine en reposant sa pipe de fromage pour s'emparer d'une liste. Lagoona

Blue ? Draculaura ? Jackson Jekyll ou Holt Hyde ? Deuce Gorgon ?

Tandis que se succédaient les noms de ses camarades de classe, Rochelle ne pouvait détacher son regard des omniprésentes lunettes noires de Deuce Gorgon. Elle le trouvait à la fois mignon et intrigant. Peut-être parce qu'il n'était pas fait de granit, ou bien parce qu'elle était une des rares personnes dans cette école à pouvoir le regarder un jour dans les yeux. Puisqu'elle était déjà en pierre, le regard pétrifiant de Deuce Gorgon n'aurait aucun effet sur elle.

— Cleo de Nile ? poursuivit le docteur Clamdestine.

En entendant le nom de la petite amie de Deuce, Rochelle détourna promptement les yeux, se rappelant soudain qu'elle avait déjà un amoureux elle aussi ! Dire que seulement quelques jours plus tôt à Scaris elle disait au revoir à Garrott, son adorable petit ami gargouille. À cette pensée, elle se sentit envahie de culpabilité.

Tandis que Rochelle réfléchissait aux implications morales de son béguin naissant, Venus vint s'asseoir à côté d'elle pour déverser sa colère à l'encontre de la collection de sacs de shopping de Cleo de Nile.

— Regarde-moi tous ces sacs en papier ! C'est totalement irresponsable. Cette fille n'est ni plus ni moins qu'une tueuse d'arbres, déblatéra rageusement Venus à Robecca et Rochelle.

— Saperlotte, Venus, tu ne crois pas que tu y vas un peu fort, là ? Tueuse d'arbres ? Elle a peut-être juste oublié chez elle son sac de shopping réutilisable. J'oublie tout le temps des trucs, moi aussi, s'emballa Robecca en tentant d'apaiser la colère écolo de sa copine végétale.

Mais Venus n'était pas le genre de goule à se laisser calmer aussi facilement. Sans que Robecca puisse réagir, Venus levait déjà ses bras vert tendre pour essayer d'attirer l'attention de Cleo.

— Hé, Cleo, par ici. Je m'appelle Venus. Je suis nouvelle à Monster High.

— Bienvenue, répondit froidement Cleo.

— Tu m'as l'air d'avoir fait un sérieux shopping de rentrée, ce matin. Tu as dû bien t'éclater. Mais tu sais ce qui aurait été génial ? Que tu ailles au centre commercial des horreurs avec ton sac de shopping réutilisable. Tu aurais sauvé la vie d'un arbre !

— Pourquoi tu me racontes ces histoires d'arbres et de sacs ? Est-ce que j'ai l'air d'un garde forestier ou d'un éboueur ?

— Je te rappelle que ce sont deux des professions les plus nobles sur cette planète. Ils sont en première ligne au quotidien pour combattre les antiécologistes comme toi ! Te rends-tu seulement compte que nous avons besoin des arbres pour produire de l'oxygène ? frémit Venus tandis que ses lianes se resserraient nerveusement autour de ses poignets.

— *Défends tes droits ! Donne tout ce que tu as en toi !* entonna un démon d'Halloween perché au fond de la salle.

— Chacun ses délires, vieille branche, rétorqua Cleo en se tournant vers Clawdeen. Je crois qu'elle ne fera pas partie de la brigade des POM POM Monstres, ni du Club des Goules.

Le Club des Goules était un club réservé aux filles de Monster High – un véritable *Who's Who* des jeunes filles monstres, très sélectif et pour cela très couru.

— T'es dure, meuf, s'exclama Lagoona de son parler australien pétillant. Elle ne fait qu'essayer de garder la planète propre pour nous tous.

—Je m'en fiche, décréta Cleo tandis que le visage de Venus continuait de s'empourprer de rage.

—Venus, je m'inquiète pour ta tension. On dirait que tu vas exploser. Je te conseille de reprendre cette conversation plus tard, intervint Rochelle.

—La *planète* n'attendra pas *plus tard* ! menaça Venus en lançant les bras au ciel, ses lianes battant frénétiquement l'air autour d'elle.

—Moi, c'est toi que je verrai *plus tard*. Ou peut-être *jamais*, répliqua Cleo d'un ton tranchant.

Le nez de Venus se mit à la démanger, et elle prit une profonde inspiration avant d'éternuer bruyamment. Le nuage de pollen orange vif atterrit sur Cleo, évitant miraculeusement les autres élèves autour d'elle.

—Tout va bien, bébé ? Tes fringues ? s'enquit Deuce, toujours prévenant, redoutant que des vêtements tachés soient la goutte d'eau qui fasse déborder le vase.

— Bien sûr que tout va bien, répondit Cleo d'une voix plus aimable et plus chaleureuse que d'ordinaire en se tournant vers Venus. Merci de m'avoir montré mes erreurs. Tu as parfaitement raison, c'est irresponsable de ma part de faire du shopping sans sac réutilisable. Je vais m'en faire fabriquer un en or massif réutilisable à l'infini ! Merci, Venus, merci beaucoup !

— Un sac en or massif sera très lourd, presque impossible à porter, marmonna Rochelle pour elle-même.

Deuce posa une main inquiète sur le front de Cleo.

— Tu me fais carrément flipper, là, bébé. Tu es sûre que tu n'es pas fâchée qu'on t'ait éternué dessus ?

Jusqu'ici simple spectateur de ce qu'il avait regardé se dérouler comme une pièce jouée pour lui, le docteur Clamdestine décida finalement qu'il était temps d'entrer en scène.

— Laissez-moi deviner. Venus McFlytrap, c'est bien ça ?

— C'est bien ça, docteur Clamdestine.

— L'usage de pollens de persuasion est strictement interdit à l'école.

— Je sais. Je suis vraiment navrée, s'excusa Venus, qui semblait sincèrement regretter son geste.

Elle avait l'air catastrophée d'avoir perdu le contrôle de ses pollens si peu de temps après son arrivée à Monster High.

— En tant qu'amateur d'art dramatique, je comprends votre passion. Mais, en tant que professeur, je ne peux pas vous laisser utiliser vos pollens de persuasion sans vous sanctionner, expliqua le docteur Clamdestine. (Il se pencha dans le couloir.) Est-ce qu'il y a un troll par ici ? Le troll le plus proche est demandé à la biblioreur.

Quelques secondes plus tard, un vieux troll extrêmement joufflu au gros nez rouge entra dans la classe en se dandinant. Après quelques instants d'hésitation, le troll suivit le regard du docteur Clamdestine. Il trottina jusqu'à Venus, s'essuya le nez d'un revers de main et lui fit signe de le suivre dans le couloir.

— *Bonne chance*, murmura Rochelle en agitant son mouchoir rose monogrammé.

— Ne le laisse pas te manger ! ajouta Robecca.

— Si j'étais toi, je ne m'inquiéterais pas pour ça, dit doucement une voix derrière elle. Les trolls sont végétariens.

C'était Cy Clops. Toujours aussi timide, il avait les bras croisés et contemplait le sol.

— Ça, par exemple, c'est bon à savoir, merci, répondit Robecca.

Ce à quoi le garçon se contenta de hocher la tête.

Une fois dans le couloir, le troll se moucha de nouveau dans sa main crasseuse. C'était une vision proprement répugnante, et Venus détourna les yeux sur le damier violet du carrelage, dégoûtée.

— Vous savez ce que je fais quand je suis enrhumée ? Je me bourre de vitamine C, je bois beaucoup, et surtout – c'est là que je voulais en venir – j'utilise des mouchoirs. Cela vous permettra de guérir plus vite et de maintenir des relations sociales. Vous ne vous ferez jamais d'amis avec des mains pleines de morve séchée.

— Pas le temps. Vous écouter. Mauvaise chose ici, grogna le troll à voix basse.

— Est-ce que vous voulez dire que j'irai en retenue ?

— Mauvaise chose ici, détruire lycée, ânonna le troll en lançant un regard soupçonneux autour de lui.

— Je ne comprends pas.

— Arrivé ailleurs. Mauvaise chose ici maintenant. Vous écouter. Vous stopper mauvaise chose.

— Je suis vraiment désolée, je ne comprends pas le troll. Je n'ai pas la moindre idée de ce que vous essayez de me dire.

— Trop tard, souffla la vieille créature au nez rouge, qui se mêla à un escadron de ses semblables qui pa*troll*ait dans le couloir.

CHAPITRE SIX

M. Charcuteur – dit le Bourreau – était peut-être le professeur le plus impressionnant de Monster High, avec son masque de fer, son menton en galoche et ses oreilles pointues comme celles d'un elfe. C'était un savant fou qui enseignait fort à propos les Sciences folles dans le laboratoire de Sciences folles dingues, une classe débordante de becs Bunsen, de microscopes et de fioles contenant de puissantes potions. Pleinement conscient de l'imprudence de ses jeunes élèves, le Bourreau gardait cependant sous clé les liquides les plus dangereux.

—La botanique – c'est l'étude des plantes – est l'un de mes sujets favoris parce qu'il me fournit l'occasion de vous enseigner la zombification homéopathique, expliqua-t-il avec un rire dément. Voyons voir, quelqu'un sait-il ce que devient le sérum ardent quand on le chauffe à plus de trente-sept degrés ?

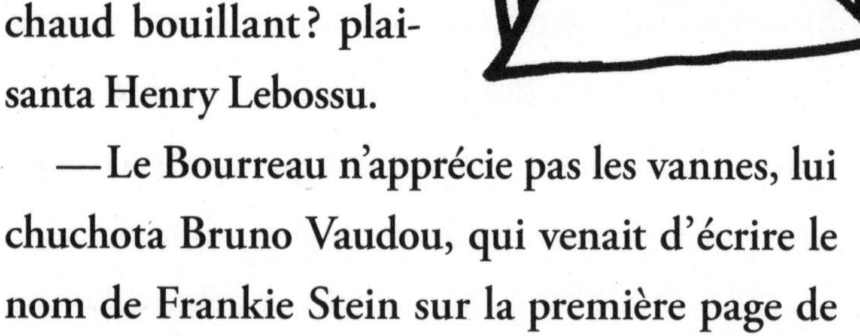

—Du sérum ardent chaud bouillant ? plaisanta Henry Lebossu.

—Le Bourreau n'apprécie pas les vannes, lui chuchota Bruno Vaudou, qui venait d'écrire le nom de Frankie Stein sur la première page de son cahier.

—Vraiment minable, Lebossu, répondit M. Charcuteur d'un air sévère.

Un trio de démons d'Halloween au fond de la classe se mit à faire les chœurs :

— *Du sérum ? Quel sérum ? Je n'entends pas cet homme.*

— Qu'en dites-vous, McFlytrap ? Vous êtes une plante. Vous connaissez certainement tous les dérivés des buissons-ardents ?

— Euh... hum..., marmonna Venus, qui sembla se dessécher sur pied sous le regard insistant du professeur.

— Ça devient un sérum de zombification pour les créatures à sang froid, dit une voix timide.

— Réponse correcte, Clops, entérina joyeusement le Bourreau, qui fit claquer un plateau de métal sur le comptoir en éclatant d'un rire machiavélique. J'adore qu'on me donne les bonnes réponses !

— Ce Cy Clops doit avoir l'esprit bien huilé pour savoir ce genre de choses ! s'émerveilla

Robecca en glissant un regard par-dessus son épaule au garçon maladivement timide.

— Ses parents étaient peut-être botanistes. Ou alors il passe tout son temps libre sur Monstrepedia, proposa Rochelle. Rien ne permet de trancher.

Alors que Robecca avait toujours les yeux fixés sur Cy, Henry Lebossu tapa dans le dos du jeune cyclope.

— Cool. C'est toujours une bonne chose d'avoir un coloc sur qui on peut pomper ! Hé, je voulais te demander… Est-ce que tu vas t'inscrire dans l'équipe de CRIM ?

— Non, je ne crois pas, répondit Cy, qui ne savait plus où se mettre sous le regard de Robecca.

— Tu as tort ! C'est vraiment l'éclate ce truc-là !

À ce moment précis, Robecca plongea son regard dans l'œil unique de Cy et lui sourit d'un air engageant, provoquant une poussée d'adrénaline dans les veines du garçon.

—Allez, quoi, tu ne veux pas t'inscrire? insista Henry.

—Quoi? D'accord, tout ce que tu voudras, balbutia Cy sans même savoir ce qu'il promettait.

—Génial! Tu vas adorer Clawd Wolf, le capitaine de l'équipe. Ce mec est à hurler.

Aux Sciences folles succédèrent les Lards ménagers, puis le cours de Déséducation physique. À la grande joie de Cy, Robecca avait également décidé de rejoindre l'équipe de CRIM. N'oublions pas qu'elle avait été une des fondatrices de ce sport au XVIIIe siècle, avant d'être démantelée. Quant à Rochelle, pourtant très douée sur des patins, elle préféra accompagner Venus dans l'option Danses de cimetière. Les deux filles mouraient d'envie d'apprendre à danser la macabrena.

Avec son éclairage faiblard et son dédale d'allées bordées d'épais buissons farcis d'épines, le labyrinthe était gigantesque et il était bien difficile de ne pas s'y perdre. Les hautes haies soigneusement taillées donnaient une fausse impression de sécurité en dissimulant l'immensité de l'arène de jeu. Des chauves-souris perchées sur des barres de fer servaient de caméras d'arbitrage, consignant les moindres mouvements des joueurs. La plus grande partie du labyrinthe était soigneusement entretenue, mais le proviseur Santête utilisait quelques recoins ni plus ni moins comme zones de stockage, et ils y rencontrèrent quelques vieux pupitres mis au rebut et nombre d'objets hors service. Il faut dire à sa décharge que les compétitions officielles se déroulaient ailleurs et que le labyrinthe ne servait qu'à l'entraînement.

Toujours tête brûlée, Robecca donna sa pleine mesure dès le début. Au bout de quelques minutes à peine, elle filait en vrombissant dans le dédale d'allées et de haies vert sombre, propulsée par ses bottes-fusées, prenant même le temps d'exécuter quelques acrobaties aériennes à l'occasion. Cette capacité à survoler les haies et à voler au secours de ses petits camarades perdus fit de Robecca la mascotte de l'équipe.

Deux heures plus tard, lorsque la cloche sonna la fin du cours de Déséducation physique, Robecca jaillit du labyrinthe. Ses bottes-fusées encore fumantes, elle s'engouffra à toute vapeur dans le corridor principal, cherchant désespérément quelqu'un qui aurait une montre ou un iCercueil. Elle avait malencontreusement oublié son téléphone dans un de ses cours précédents… et ne se rappelait plus lequel.

—Je vous en prie, vous pouvez me dire l'heure ? Je suis en retard ! s'exclama Robecca en voyant Frankie Stein et sa copine loup-garou Clawdeen Wolf traverser le grand hall.

—Hé, pourquoi es-tu si pressée ? demanda gentiment Frankie, tandis que Clawdeen reculait d'un pas.

—Désolée ! Tu craches la vapeur à tout-va et je n'ai pas envie que ma fourrure frise. Tu peux comprendre ça, non ?

—Oh, bien sûr ! La fourrure qui frise, c'est la vraie mouise ! Dis-moi quand même quelle heure il est. Je suis sûre que je suis en retard, mais j'ai oublié pour quoi !

Alors que Frankie consultait sa montre, une petite voix timide surgit de nulle part.

— Il est 17 heures.

C'était Cy Clops, qui tenait dans ses bras une Penny des plus moroses.

— Je crois que tu as oublié quelqu'un dans le labyrinthe, dit-il d'une voix à peine audible.

Il déposa le pingouin mécanique sur le sol et se recula précipitamment.

— Ça, par exemple ! Penny, je suis vraiment navrée ! ronronna Robecca à son petit animal de compagnie.

— Hé, le Club des Goules tiendra bientôt sa première réunion de l'année, si toi et tes copines de chambre êtes intéressées, dit Frankie. C'est une espèce de sororité. On fait des tas de trucs ensemble, depuis des cours d'étiquette des monstres jusqu'à des séances de bar à ongles – voire à griffes, selon les cas.

— Merci, Frankie, ç'a l'air bath, mais Rochelle et moi ne pouvons pas nous inscrire sans Venus. Et, disons que les relations entre Venus et Cleo auraient bien besoin d'un bain de vapeur pour les défroisser.

— Oui, bien sûr, le fameux coup des pollens, approuva Clawdeen en hochant la tête. Tu sais comment sont les momies. Elles ont la rancune tenace.

Rochelle regarda les deux filles s'éloigner avec un soupir. Elle avait tellement hâte de faire partie des clubs de Monster High !

CHAPITRE sept

À l'heure du déjeuner le lendemain, la cafétorreur de Monster High bruissait de compliments sur l'étonnante, la stylée, la surnaturellement intéressante Miss Flapper. Et ce jusqu'à Spectra Vondergeist, la fille fantôme aux cheveux violets, dont les posts sur son blog *Rumeurs spectrales !* ne parlaient que de la nouvelle prof. Comme si tout le monde à l'école, garçons et filles confondus, était tombé raide dingue de la nouvelle venue de l'équipe enseignante. Bon, peut-être pas *toute* l'école.

Venus, Robecca et Rochelle étaient quant à elles trop absorbées par le cas d'un autre membre du corps enseignant pour s'occuper de Miss Flapper.

— Ne nous voilons pas la face, il faut une intervention d'urgence ! s'écria Rochelle en tambourinant machinalement des doigts sur le plateau en bois de la table, qui se creusait de sillons.

— Quel genre d'intervention ? demanda Venus, toujours pratique.

— Pour le sauver de la dépression, bien sûr ! *Regardez !* Il est en train d'essayer de se noyer dans sa soupe !

Venus leva les yeux au ciel, mais se rendit vite compte que M. Mort était effectivement en train de plonger son visage osseux dans cinq centimètres de soupe aux pois cassés.

—Bon, ne nous emballons pas. Il déjeune avec Mlle Sue Nami et je crois que nous serons toutes d'accord pour reconnaître que la compagnie de cette femme rendrait dingo n'importe qui, analysa Venus.

—Mais regardez ses vêtements ! Il faut être un homme qui n'a plus d'espoir dans la vie pour sortir dans des tenues pareilles. En plus, quand il a bâillé tout à l'heure, j'ai remarqué que ses dents étaient un peu grises. Et tout le monde sait que quand les squelettes cessent de se blanchir les dents, c'est qu'ils ont touché le fond.

—D'où tu tiens ça ? De ton dentiste ? s'étonna la fille végétale.

—Je parie que les gargouilles font de super dentistes, commenta Robecca, sincèrement admirative.

—C'est vrai. Nous n'avons même pas besoin d'instruments, nous nous servons de nos auriculaires, répondit fièrement Rochelle, puis elle se tut pour observer Mlle Sue Nami.

La femme-vague qui, de profil, ressemblait

à une benne à ordures trop remplie, se leva lourdement de sa chaise en agitant les bras. La position assise prolongée provoquait chez elle de la rétention d'eau, qui pouvait déboucher en de rares occasions sur un débordement. Alors qu'un troll à la peau flasque ramassait son plateau, Mlle Sue Nami entreprit de se secouer violemment, de la pointe des orteils au cuir chevelu. Malheureusement pour M. Mort, son déjeuner et le troll, cet ébrouement les doucha copieusement sans que Mlle Sue Nami fasse mine de s'excuser pour ce désagrément, ni même qu'elle s'en apercevoive.

—Alinéa 7.9 du Code éthique des gargouilles: quand une gargouille a pris la décision d'apporter son aide à quelqu'un, ses actions doivent être ciblées et rapides, énonça Rochelle en repoussant sa serviette pour se diriger vers M. Mort d'un pas décidé.

Et si sa démarche n'avait rien de gracieux, Rochelle n'ayant pas le pied léger quand elle se laissait emporter, elle exprimait la force de la sympathie qu'elle éprouvait pour cet homme totalement déprimé.

—*Bonjour*, monsieur Mort. Je m'appelle Rochelle Goyle, je suis nouvelle et je viens de Scaris.

—Scaris ? J'ai toujours rêvé d'aller là-bas… Me promener sur les quais, manger des fromages qui puent, et peut-être même porter un béret.

—Je ne crois pas que le béret vous irait, mais je suis sûre que vous apprécieriez nos fromages, commenta Rochelle en toute franchise, comme à son habitude.

—Quelle importance ? Je n'irai jamais à Scaris. Autant l'ajouter tout de suite à ma liste, soupira M. Mort.

—*Pardonnez-moi ?* De quelle liste parlez-vous ? voulut savoir Rochelle.

—De ma liste de regrets. Une liste complète de tout ce que j'ai l'intention de regretter avant de mourir. J'espère seulement ne pas mourir de mort subite, car cette liste est longue.

— Je ne voudrais pas vous paraître impolie, mais n'êtes-vous pas déjà mort ?

— Techniquement parlant, oui. C'est de la mort de mon âme que je parle.

— Vous ne faites pas dans la légèreté, monsieur Mort.

— C'est mon lot quotidien.

— Je connais ça aussi d'une certaine façon, pour des raisons plus… physiques, dit Rochelle en montrant son corps mince, mais massif. Monsieur Mort, je me demandais si vous me laisseriez revisiter votre garde-robe pour vous aider à mettre un peu de couleur dans votre vie. Cela dit, je n'ai rien contre votre pantalon marron taché et votre pull marron bouloché.

— Les élèves ne sont pas autorisés à interférer dans la vie privée des professeurs.

— Est-ce une règle officielle ou une simple recommandation ? s'enquit Rochelle.

— Ce n'est pas inscrit dans le règlement, mais

c'est une règle tacite acceptée par tout le monde. Et maintenant, si vous voulez bien m'excuser, je vais retourner pleurer sur mon sort. J'ai déjà repris du retard sur mon planning.

— Je tiens les règles en très haute estime et je fais donc la différence entre les véritables règles et les simples recommandations. Ceci ne faisant l'objet d'aucune interdiction formelle, nous ne ferons rien de mal. J'insiste donc.

— D'accord, grommela M. Mort. Mais nous devrons y renoncer si mon pessimisme commence à déteindre sur vous. La tristesse et la jeunesse n'ont rien à faire ensemble.

— C'est que vous connaissez mal la jeunesse, marmonna Rochelle pour elle-même avant de tendre sa petite main grise à M. Mort. Veuillez excuser la froideur de ma peau. C'est parce que je suis faite de granit.

— Veuillez excuser ma personnalité. C'est parce que je suis moi.

CHAPITRE huit

Lorsque la nuit tomba sur Monster High, les chauves-souris s'éveillèrent et partirent en chasse. Après une bonne journée de sommeil, elles ne rêvaient que de se repaître d'insectes et d'araignées. Oreilles dressées et gueules ouvertes, elles fonçaient en piqué dans les couloirs en battant furieusement des ailes.

Au premier étage du bâtiment est, les pensionnaires de Monster High s'apprêtaient à se coucher. Blanche et Rose Van Sangre, fidèles à leur sang de Romanichelles, avaient arraché les draps de leur lit pour s'installer sous un pin sur la pelouse de derrière. Les démons d'Halloween, exténués par cette journée riche en chansons et en ragots, dormaient déjà à poings fermés, leurs grenouilles-taureaux ronflant à pleins naseaux à côté d'eux. Freddie-Trois-Têtes piquait de ses trois nez sur trois éditions différentes du *Déclin du vampire horroricain*, le best-seller de la sélection du *New Beurk Times*. Comme à son habitude, Bruno Vaudou regardait des photos de Frankie Stein tout en tripotant ses épingles. Henry Lebossu, allongé sur son lit, disséquait chaque détail de l'exquise beauté de Miss Flapper, tandis que Cy Clops repensait à une certaine fille fumante.

— Quelle journée épatante ! Je ne me souviens pas d'en avoir vécu de meilleure. Oui, bon, sauf quand j'ai oublié Penny, s'exclama Robecca avec un regard attendri sur le pingouin mécanique en pyjama qui dormait près d'elle. Heureusement qu'elle n'est pas rancunière !

—Je pense au contraire qu'elle t'en veut. Et que c'est pour ça qu'elle est toujours grognon, l'arrêta Rochelle. À moins que je ne la trouve grognon, parce que tout le monde a l'air de l'être comparé à Roux!

—Aïe, Chewlian! Pas les doigts, couina Venus. Tant que j'y pense, je ne sais pas si je vous l'ai déjà dit, mais vous devriez éviter de laisser traîner vos bijoux. Chewlian a déjà dévoré des boucles d'oreilles. Mais attention, jamais rien de valeur. On dirait qu'il préfère le toc. J'imagine que c'est plus facile à digérer.

—En parlant de manger, j'ai appris que les trolls étaient végétariens! Pas de risque de se faire dévorer parce qu'on est en retard, dit Robecca en étouffant un bâillement.

—Il s'est passé un truc bizarre avec ce troll pendant le cours du docteur Clamdestine, les informa Venus.

—Je n'en reviens toujours pas qu'il ne t'ait pas collée, renchérit Robecca.

—Il avait peur de quelque chose, mais je n'ai pas compris un traître mot de ce qu'il disait, ajouta Venus en se repassant mentalement la scène.

—Eh bien, ces trolls sont très âgés et peut-être séniles. Ou bien ils ne sont pas à jour dans leurs vaccinations contre la rage. Tenir des propos incohérents est un signe bien connu d'infection. Je vais devoir m'en occuper, décréta fermement Rochelle, avant de se tourner pour dormir.

Le soleil venait à peine de se lever quand Robecca s'assit s'assit d'un seul coup dans son lit.

Elle se mit à faire les cent pas comme une démente dans la chambre, de la vapeur s'échappant de ses oreilles et de ses narines, et ses cheveux frisottèrent instantanément. Elle serrait sous son bras une Penny en pyjama encore endormie.

— Par ma chandelle verte ! quelle heure est-il ? Qu'est-ce que j'ai manqué ? Où est Penny ? toussota Robecca, son cerveau manifestement toujours en mode sommeil.

— Robecca ! *Qu'est-ce que tu fais ?* Il est 6 h 30 !

— Ça, par exemple ! Je viens de me réveiller et j'étais persuadée d'avoir dormi toute la journée.

— Tu n'as même pas dormi toute la matinée, alors tu ferais mieux de te remettre au lit, grogna Venus sous le masque en bandelettes de momie de coton bio qu'elle portait sur les yeux pour la nuit.

— Nom d'une pipe en bois, quelle drôle d'idée ! C'est le meilleur moyen d'être en retard.

Pour une fois, j'ai des chances d'être à l'heure. Je crois que je vais emmener Penny se faire huiler les rouages, et je vous retrouve à la cafétorreur dans une heure.

Lorsque la seconde porte claqua, Rochelle eut l'intuition qu'elles ne reverraient pas Robecca de sitôt. Quel que soit le temps dont disposait la fille à vapeur, elle n'en avait jamais assez. Elle était juste incompatible avec la ponctualité. Et si Rochelle n'avait pas été une gargouille rationnelle avec les pieds sur terre, elle aurait pu se demander si tel n'était pas son destin. Et si la vie de Robecca était censée se dérouler avec une ou deux heures de retard ?

Rochelle avait vu juste. Deux heures plus tard, Robecca avait manqué le petit déjeuner et

la réunion du matin. Alors qu'elle faisait le pied de grue à la porte du vampithéâtre en scrutant la foule des élèves à la recherche de sa camarade de chambrée, la petite gargouille reconnut un visage tristement familier.

— *Bonjour*, monsieur Mort.

— Rochelle, grommela-t-il, les yeux résolument rivés au sol.

— Est-ce que vous avez trouvé le catalogue Aberzombie & Witch que j'avais laissé pour vous sur votre bureau ? J'ai pensé que vous aimeriez jeter un coup d'œil à la mode actuelle.

— J'aime beaucoup les cadeaux, soupira M. Mort. On ne m'en avait jamais fait.

Rochelle secouait la tête d'un air compatissant lorsqu'un bruit de collision capta son attention. Alors qu'il sortait de la cafétorreur, Deuce Gorgon venait de percuter un troll couvert de pustules, les envoyant tous les deux au tapis. Sans réfléchir ni savoir très bien ce qu'elle

faisait, Rochelle lâcha son sac et se précipita vers Deuce.

—Deuce ! *Oh là là !* Est-ce que ça va ? s'enquit-elle, sincèrement inquiète.

—Oui, je crois que je n'ai rien, répondit-il en souriant.

Il releva la tête et planta son regard dans celui de Rochelle.

—Tu as de très beaux yeux verts. Ils sont monstrueusement horrorifiques ! balbutia la jeune gargouille, sur un petit nuage. Ils sont de la même couleur que les serpents sur ta tête.

—Mes lunettes ! glapit Deuce.

Il se couvrit les yeux d'une main, tâtant le sol de l'autre.

—Les voilà, dit Rochelle en les lui glissant entre les doigts.

—J'ai de la chance d'avoir posé les yeux sur toi en premier. Pétrifier ses petits camarades n'est pas très bien vu par ici.

— C'est plutôt moi qui ai de la chance… d'avoir pu voir tes yeux, je veux dire, gazouilla Rochelle. Tu es le garçon le plus beau que j'ai jamais vu. Si j'étais toi, je passerais mon temps à me regarder dans la glace.

Venus glissa soudain un bras autour des épaules de Rochelle, s'immisçant dans leur conversation à sens unique sur la beauté de Deuce.

— Salut, Deuce. Rochelle vient de se faire dévitaliser une dent et elle ne sait plus ce qu'elle raconte. Tout à l'heure, elle a demandé à ma plante carnivore de l'épouser.

— Je n'ai rien fait de tel, mais je suis sûre que Chewlian a avalé ma montre de collection ce matin. J'ai distinctement entendu son tic-tac dans son pot, répondit Rochelle, que Venus tentait de museler de ses lianes.

— Bon, on ferait mieux d'y aller…, la pressa Venus.

— Je ne savais pas que les gargouilles pouvaient avoir des caries, l'interrompit Deuce.

— Uniquement les gargouilles de Scaris, tenta misérablement Venus. À force de manger leurs fromages qui puent. On ne le sait pas toujours, mais le fromage est très mauvais pour les dents.

— C'est une contrevérité, affirma Rochelle dès qu'elle se fut libérée des lianes de Venus. Le fromage n'a absolument aucun effet sur les dents. Et, Deuce, tu as raison. Les gargouilles n'ont pas de caries. Mais nous grinçons souvent des dents et beaucoup d'entre nous – y compris Roux, mon griffon gargouille de compagnie – portent une gouttière la nuit pour éviter ce désagrément.

Deuce éclata de rire.

— Vous êtes des comiques, les filles, leur lança-t-il avant de s'éloigner.

— Merci. Oui, on répétait nos impros pour notre pièce de théâtre, lui cria Venus.

— Nous ne faisons pas de théâtre. Et dois-je préciser que les gargouilles ne sont pas réputées pour leur sens de l'humour ? la corrigea prestement Rochelle.

— C'est quoi, ton problème ? J'essayais de t'aider ! Est-ce que tu te rends compte que tu viens de dire à Deuce que tu avais de la chance d'avoir vu ses yeux ? Et que, si tu étais lui, tu passerais ton temps à te regarder dans la glace ? C'est comme si une de ces séries à l'eau de rose avait pris ton cerveau en otage ! Et pas des meilleures, encore. Une série bien pourrie où les héroïnes déclament des trucs niais du genre : « Je vous aime, Victor, et peu m'importe si je signe mon arrêt de mort, vous serez à moi » en regardant la caméra droit dans les yeux.

— Tes parents t'ont trop laissée regarder la télé quand tu étais petite.

— Ou les tiens pas assez, lui renvoya Venus en démêlant ses lianes entortillées.

— Nous débattrons de cela une autre fois. Nous allons être en retard pour le cours de

Lards ménagers si nous attendons Robecca plus longtemps.

— On devrait reconsidérer mon idée de lui mettre une laisse. Ce serait pour son propre bien.

— Robecca n'est pas une grenouille-taureau, répliqua Rochelle, songeant aux animaux de compagnie des démons d'Halloween.

— Tu te rends compte que les grenouilles-taureaux ne portent pas de laisse habituellement et que ce trio de têtes de citrouille est vraiment très bizarre ? la raisonna Venus tandis qu'elles s'engageaient dans le corridor bondé où régnait une grande agitation.

CHAPITRE neuf

Miss Flapper glissait d'un pas élégant dans le corridor vert et violet. L'Européenne au pied léger était à la tête d'une horde de trolls, eux-mêmes accompagnés de petits dragons verts pas plus gros que des chats. L'incroyablement vaporeuse Miss Flapper semblait flotter tant sa démarche était féminine et délicate. Habillée de pied en cap de Diorreur haute couture, elle butinait d'un élève empressé à l'autre et leur chuchotait quelques mots à l'oreille. Aucune des

trois goules n'entendait ce qu'elle disait, mais ce devait être terriblement intense, car le visage de chaque élève se décomposait quelques secondes avant de retrouver son état normal.

— Qu'est-ce que leur chuchote Miss Flapper, à ton avis ? demanda Venus à Rochelle alors qu'une grappe de démons d'Halloween la bousculait dans leur hâte d'approcher la prof la plus populaire du lycée.

— Pure hypothèse de ma part, mais elle les informe peut-être que le carnet de vaccination léthalien des trolls n'est pas à jour.

— *Miss Flapper est si jolie, un chat sacré de Birmanie*, entonnèrent Sam, James et Marvin o'Lantern en se plantant devant la femme-dragon.

— Petits démons d'Halloween, ronronna Miss Flapper de sa voix de gorge, quel dommage que vous ne soyez pas dans ma classe. Il faut absolument vous inscrire à mon club, le

Mouvement de Libération des Monstres, ou MLM.

Elle se pencha sur eux pour leur murmurer quelque chose à l'oreille.

Avec un petit sourire satisfait, la femme fatale poursuivit ses déambulations, susurrant à l'oreille de tous ceux qu'elle croisait, de Draculaura à Cleo de Nile, jusqu'à ce qu'elle arrive devant Rochelle. Elle s'inclina lentement, et son parfum de rose rappela instantanément à la petite gargouille son cher Garrott et l'étonnant rosier qu'il avait créé pour elle. À l'instant où les lèvres en forme de cœur de la femme-dragon s'entrouvraient pour chuchoter à l'oreille de Rochelle, un cri se fit entendre, et la jeune gargouille tourna la tête.

— Sac à papier ! je suis encore en retard ! explosa la voix de Robecca dans le couloir.

— C'est le grand retour de la fille mécanique, railla Venus.

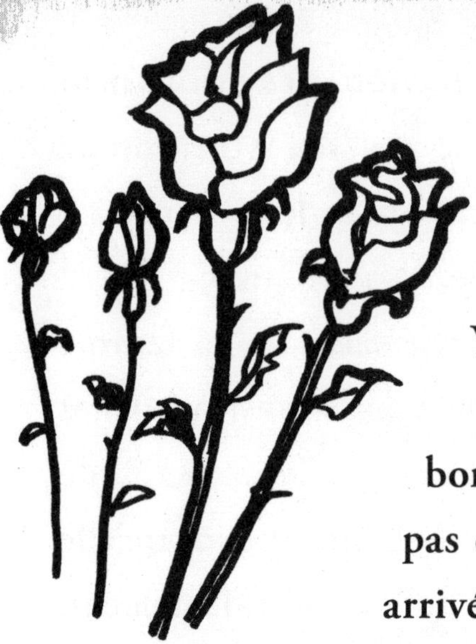

Miss Flapper se détourna de Rochelle pour se diriger vers Ghoulia Yelps.

—Nom d'un petit bonhomme, je ne sais pas du tout ce qui m'est arrivé ! rugit Robecca en traversant le corridor bondé pour rejoindre ses amies.

C'est alors, comme cela se produisait très régulièrement, que la fumante Robecca percuta le timide Cy Clops au beau milieu de la cohue. Malheureusement pour lui, ses plaques de métal étaient encore brûlantes et leur rencontre fut plus que douloureuse pour le garçon à l'œil unique.

—Aïe !

—Désolée ! cria-t-elle.

—Silence dans hall ! *Silence !* hurla un troll.

— Mais je suis en retard ! C'est certainement beaucoup plus grave que de parler fort ! protesta Robecca.

— Vous aller en classe ou moi mange vous ! répliqua hargneusement le troll.

— Oh ! cessez de bluffer. Je sais que vous êtes végétarien, contra Robecca.

— Allô, la Terre ? Je suis une plante, lui rappela Venus en entraînant son amie. Dépêchons-nous ou nous allons manquer le cours de Lards ménagers.

— *Je ne comprends pas !* Pourquoi es-tu toujours en retard ? voulut savoir Rochelle, très perplexe.

— Sans blague, j'y ai souvent réfléchi, mais je ne suis toujours pas certaine de connaître la réponse. Je crois que c'est parce que je me laisse absorber par mes activités au point d'oublier tout le reste, et puis soudain, comme un éclair, cette angoisse m'étreint. Je sais que je suis en retard, mais je ne sais pas pour quoi parce que je n'ai aucune idée de l'heure qu'il est.

— Tu portes pourtant une montre. Plusieurs, même, objecta Rochelle.

— Oui, mais elles sont arrêtées. La vapeur, c'est mortel pour les montres. Je les garde au poignet uniquement pour le style.

— Eh bien, toi, au moins, tu *as* une montre, dit Rochelle en regardant Venus d'un air entendu.

— Bienvenue au cours de Lards ménagers, les accueillit la bouillonnante Mlle Hortimarmot en jetant un regard circulaire à la classe. Quelle triste vision ! Vous n'avez tous que la peau sur les os, déplora la vieille sorcière vêtue d'une robe rapiécée et coiffée d'un foulard usé. Eh bien, c'est votre jour de chance, car nous allons confectionner un délicieux ragoût, tiré des célèbres recettes dragoniennes : la soupe de langues croustillantes. Et, avant que vous me posiez la question, non, il n'y a pas de vraies langues dedans ! Oh ! bonjour, ma petite Robecca.

— Excusez-moi, mademoiselle Hortimarmot, mais, puisqu'il n'y a pas de dragons parmi nous, ne vaudrait-il pas mieux cuisiner un autre plat ? demanda Venus sans cacher son dégoût.

— Excusez-moi, jeune fille, mais je n'ai jamais dit qu'il fallait être un cracheur de feu pour apprécier cette recette ! Même si, bien sûr, tous les dragons sont fous de cette soupe, répliqua vertement la mégère.

Elle tira un grand chaudron de sous son bureau et ouvrit son monumental livre de recettes relié de cuir.

La recette de la soupe de langues croustillantes était assez difficile à réaliser – ou c'est ce que voulait leur faire croire Mlle Hortimarmot, qui pestait chaque fois que quelqu'un posait une question ou se trompait dans les mesures. Tandis que Robecca versait dans son chaudron de la poudre de feuilles d'hamamélis, le noisetier des sorcières, Cy la dévorait de l'œil. Il s'était installé à la table juste derrière la sienne pour pouvoir l'observer à loisir. Comme tous les cyclopes, il avait en effet des problèmes de vision périphérique et de perception de la profondeur.

— J'ai beau avoir les yeux à hauteur du nombril, je me rends parfaitement compte que tu en pinces pour cette évaporée, le taquina Henry Lebossu.

— Je ne vois pas de quoi tu parles, le détrompa Cy en retournant à l'ébullition de son propre chaudron. Et ce n'est pas une évaporée. Elle s'appelle Robecca.

— Je n'ai rien à ajouter, Votre Honneur, répliqua Henry en riant.

À la fin du cours, Mlle Hortimarmot goûta toutes les préparations afin d'évaluer chaque élève et déclara Freddie-Trois-Têtes vainqueur. Même si personne n'osa le dire à haute voix, tout le monde pensa tout bas qu'avec ses trois cerveaux, Freddie était avantagé.

— Je suis très impressionnée, Freddie-Trois-Têtes, le félicita sincèrement Mlle Hortimarmot. Votre soupe pourrait être servie à la table des dragons les plus exigeants.

— Merci, *thank you, grazie,* répondit fièrement le garçon tricéphale.

Tout en allant ranger leurs louches, le trio des démons d'Halloween distribua promptement des invitations pour la prochaine réunion du MLM tout en fredonnant un tantinet faux les derniers ragots de couloir.

— *Frankie Stein kiffe le MLM. Quant à Cleo de Nile, c'est tout ce qu'elle aime.*

— James ? demanda Rochelle à l'une des têtes de citrouille. Qu'est-ce qu'on fait exactement dans ce club ?

— *On y chante, on y danse, vers la libération des monstres on avance,* chantonna le démon d'Halloween en guise de réponse.

— Sans vouloir me montrer impolie, tout ça reste très vague. Pourrais-tu être plus précis ?

— *Les monstres d'abord, et ce sera l'âge d'or. Et maintenant, je suis navré, mais j'vais m'en jeter un derrière l'gosier.*

—Ça n'a aucun sens, chuchota Venus à Rochelle. Enfin, sauf le truc de s'en jeter un. Moi aussi, j'irai bien m'arroser le gosier.

Plus tard dans la journée, longtemps après la fin des cours, Rochelle battit le rassemblement dans leur chambre au dortoir.

—*Je suis tellement excitée*, leur dit-elle, tandis que Roux jouait à ses pieds. Vous êtes prêtes ?

—Oh oui ! Je suis bigrement contente de ne pas rater ça ! dit Robecca en montrant le foulard de soie qui reliait son bras droit au bras gauche de Venus.

—J'étais sûre que la laisse te plairait une fois que tu te serais faite à l'idée, approuva Venus avec fierté.

— Ça, oui ! Et Penny aussi, ajouta Robecca, baissant les yeux sur son irascible pingouin, attaché à sa botte gauche.

— J'espère que ça vous plaira, et à M. Mort aussi, dit Rochelle avec un sourire impatient. (La jeune gargouille tira soudain une masse de tissu jaune effiloché de derrière son dos.) *Et voilà !*

— C'est un chapeau ? demanda très sérieusement Venus.

— Quoi ? Non, c'est un costume. Ça ne se voit pas ?

— Bah ! je vois surtout que tu l'as cousu toi-même, répondit Venus.

— Je voulais quelque chose de *monstrifique*, de vraiment très spécial, expliqua Rochelle.

— Eh bien, tout dépend de ce que tu entends par « spécial », concéda Robecca avec diplomatie.

— *Zut !* C'est si moche que ça ? demanda Rochelle, manifestement déçue.

— On dirait qu'il est passé entre les griffes d'une bande de chats sauvages, déclara Venus sans prendre de gants.

— Venus, la réprimanda Robecca. Tu n'y vas pas un peu fort ?

— Non, elle a raison. Chaque fois que j'ai touché ce tissu, mes griffes ont tiré un fil, puis un autre, et encore un autre, et j'en ai gâché dix mètres pour faire ce truc !

— Ma chère Rochelle, pourquoi ne nous as-tu pas demandé de t'aider ? la gronda gentiment Robecca.

— Alinéa 3.5 du Code éthique des gargouilles : ne jamais demander à autrui de faire à votre place ce que vous pouvez faire vous-même.

— Mais c'est justement quelque chose que tu ne peux pas faire toi-même. Ce point, au moins, est établi, fit remarquer Venus. Sérieux, c'est presque tragique ce que tu as fait subir à cette pauvre pièce de tissu sans défense !

Rochelle baissa la tête, mortifiée d'avoir eu la prétention de croire qu'elle serait capable de s'en tirer toute seule.

— Ne fais pas cette tête. Au cas où tu l'aurais oublié, nous allons à l'école avec la meilleure couturière de l'Oregon.

— Venus, je sais coudre un bouton, mais je suis plus douée pour les rivets, protesta Robecca.

— Pas toi, Robecca ! Je parle de Frankie Stein. Elle a assemblé elle-même les différentes parties de son corps. Je suis sûre qu'elle saura coudre un costume.

— Est-ce qu'elle accepterait de le faire ? s'interrogea Rochelle à haute voix.

— On ne risque rien à lui poser la question, proposa Robecca dans un sourire.

— Techniquement inexact. On risque parfois beaucoup à poser des questions. Je peux vous citer de nombreux exemples…, la corrigea Rochelle.

— Je crois que ce ne sera pas nécessaire. Allez, les goules, prenez vos affaires. On a un monstre vert à trouver, décréta Venus en ouvrant la porte.

— Mais l'école est fermée, objecta Robecca.

Venus sourit.

— Oui, c'est bien pour ça que nous allons en ville.

Comme les trois amies arrivaient au bout du couloir, Rochelle remarqua que le délicat rideau en toile d'araignée semblait avoir diminué d'épaisseur. Elle s'arrêta pour vérifier que les tisseuses étaient bien au travail, et s'aperçut qu'au moins la moitié des créatures noires de la taille d'une pièce d'un euro n'étaient plus là.

— Qu'est-ce que tu regardes ? lui demanda Robecca.

— Les araignées. Beaucoup d'entre elles ont disparu.

— Elles sont peut-être en vacances, proposa aussitôt Venus – un peu trop rapidement au goût de Rochelle.

— Aurais-tu par hasard laissé Chewlian en liberté dans le hall ? questionna-t-elle d'un ton accusateur.

— Je ne sais pas du tout de quoi tu parles, se défila lamentablement Venus en s'engouffrant comme une fleur dans l'escalier rose.

Dès qu'elle posa le pied dans le grand corridor, les yeux de Robecca tombèrent sur un spectacle familier en la personne de Cy Clops. Elle ne put s'empêcher de penser qu'elle ne voyait que lui. Quoi, c'est vrai, elle le voyait presque davantage que Venus et Rochelle, alors qu'elles habitaient ensemble !

Tout en se dirigeant vers la grille, elle voulut en avoir le cœur net.

— Vous ne trouvez pas qu'on voit beaucoup ce garçon, Cy Clops, ces derniers temps ? demanda-t-elle à ses amies, l'air de rien.

— Je te rappelle qu'il vit dans le même dortoir que nous, répondit Venus, un chouïa sarcastique, en ouvrant l'immense portail.

Le centre-ville n'était qu'à dix minutes à pied. La pittoresque et charmante bourgade de Salem offrait les deux attractions que les jeunes monstres chérissaient le plus au monde : son centre commercial des horreurs, et son coffee-shop *Crainte Café* qui servait les plus fabulicieux milk-shakes !

Rochelle, Venus et Robecca commencèrent par le centre commercial des horreurs, scrutant minutieusement chaque boutique dans l'espoir d'apercevoir la peau couleur menthe à l'eau de Frankie. Même si les trois goules prenaient leur mission très au sérieux, elles ne se privèrent pas du petit plaisir de jeter un œil au passage sur les derniers modèles de lingerie chez *Transylvania's Secret*. Rochelle, qui n'avait encore jamais mis les pieds dans une boutique de cette marque, prit note de ses pièces à la pointe de la mode et se promit de revenir une fois qu'elle aurait mené à bien l'affaire de M. Mort.

Après avoir fouillé en vain le moindre centimètre carré du centre commercial des horreurs – y compris la solderie dégriffée *Patte de velours* où les marques de mode venaient finir leur vie –, elles se dirigèrent vers le *Crainte Café*. Avant même d'ouvrir la porte, elles furent frappées par l'odeur de rose qui émanait du lieu.

Cela ne pouvait signifier qu'une seule chose… ou plutôt une seule personne.

Tenant sa cour dans le café gothique au milieu d'une foule d'élèves se trouvait en effet Miss Flapper. La femme diaphane repéra instantanément les nouvelles venues et se leva gracieusement de son pouf de velours noir pour venir les accueillir.

— Bonjour, bienvenue dans mon antre, roucoula la femme-dragon.

— Et dire que je croyais que c'était un coffee-shop ici, plaisanta Venus.

— C'est vrai. Mais les dragons sauvages vivent dans des antres et il me plaît de considérer comme tel tout lieu où je me trouve. Quelle tristesse de constater que les dragons ont pratiquement disparu, et que ceux qui restent préfèrent vivre sous des climats qui ne réussissent pas aux monstres, comme Bosse Angeles ou Chicacroc.

— Exact, confirma Rochelle. Les monstres sont prédisposés au mal des transports, et donc peu adaptés aux villes où l'on passe son temps en voiture.

— Êtes-vous venues vous inscrire au MLM ? s'enquit Miss Flapper en se penchant vers l'oreille de Robecca.

— Saperlipopette ! je n'ai jamais été très fan des chuchotements. Ça me chatouille les tympans. Et puis mon père disait toujours que les gens chuchotent tout bas ce qu'ils ne devraient pas dire tout haut, refusa Robecca en reculant, au grand étonnement de Miss Flapper.

— Robecca ne veut pas dire que c'est votre cas, tenta de rattraper Venus. Hé, regardez ! voilà Frankie Stein. On devrait lui parler maintenant, ou nous manquerons le repas du soir.

— Bien sûr, mais, je vous en prie, n'oubliez pas de vous inscrire au MLM. Nous avons besoin de vous, susurra Miss Flapper de sa voix rauque en plongeant son regard dans les yeux de chaque fille à tour de rôle.

— J'ai toujours adoré les clubs, même si ce sont le plus souvent des clubs de lecture. Qu'est-ce qu'on fait exactement dans votre MLM ? demanda Robecca avec enthousiasme.

— Nous aidons les monstres à prendre la place qui leur revient dans ce monde de normies, déclara gravement Miss Flapper.

— Veuillez nous excuser, madame, mais nous avons une mission des plus importante à remplir, les interrompit Rochelle en entraînant Robecca.

Et les trois goules filèrent droit sur Frankie, sous le regard inquisiteur de Miss Flapper.

CHAPITRE dix

En retrait dans un coin du *Crainte Café*, juste derrière Freddie-Trois-Têtes, se cachait Frankie Stein. Mais, au lieu d'arborer son sourire chaleureux habituel, la fille à la peau menthe à l'eau semblait grave – presque triste. Ce changement d'expression n'était pas fait pour rassurer Rochelle, alors qu'clle s'apprêtait à lui demander une faveur.

—*Pardonne-moi*, Frankie. Je suis confuse d'abuser de ton temps, surtout alors que tu es… Euh… qu'est-ce que vous faites exactement, tous ici?

—Nous nous imprégnons de l'aura de Miss Flapper, bien sûr, répondit la fille électrique d'une voix sans timbre, comme si c'était une évidence.

—Très bien. Je ne voudrais surtout pas t'interrompre, mais j'avais quelque chose à te demander.

—Miss Flapper dit que chaque monstre détient la réponse à la question d'un autre monstre, débita Frankie comme un robot qui a bien appris sa leçon.

—Je ne vais pas t'ennuyer avec les subtilités du Code éthique des gargouilles, mais nous ne demandons un service à quelqu'un qu'en cas d'absolue nécessité. Cela étant posé, j'ai déjà tenté de me débrouiller toute seule et misérablement échoué, expliqua gravement Rochelle, à la plus grande hilarité de ses camarades de chambre.

—Rochelle, taille un peu dans le feuillage, lui chuchota Venus. Ou elle va croire que tu veux qu'elle te donne un rein.

— Les gargouilles n'ont pas de reins, la corrigea Rochelle.

— Je crois que ce que Venus veut dire c'est que tu n'as pas besoin d'être aussi formelle, traduisit Robecca en gloussant.

Rochelle ramena son regard sur la fille à la peau menthe à l'eau.

— Frankie Stein, je vais aller droit au but. J'ai besoin de ton aide pour coudre un vêtement. Tu vois, mes griffes de gargouille accrochent tous les tissus que je touche. Et tu sais combien il est difficile de coudre sans toucher le tissu !

— Miss Flapper dit qu'il n'y a pas de mission plus noble que d'aider un autre monstre dans ce monde qui ne s'occupe que des normies, ânonna Frankie mécaniquement.

— Est-ce que ça veut dire que tu acceptes ? l'interrompit Venus, troublée par le comportement de Frankie.

— Évidemment. Qu'est-ce que je devrai coudre ?

—Tu sais garder un secret ? lui demanda Rochelle, très sérieuse.

—Miss Flapper dit que le secret d'un monstre est le secret de tous.

—Qui aurait deviné que Miss Flapper avait tant de choses à dire ? murmura Venus à l'oreille de Robecca.

—Un nouveau costume pour M. Mort. J'ai bon espoir de lui dégotter un rendez-vous après quelques mesures correctives quant à son apparence. Cet homme a terriblement besoin de connaître un peu de bonheur.

—C'est très gentil de ta part, dit Frankie d'une voix inexpressive. Et, puisqu'il s'agit d'une occasion très spéciale, je vais m'adjoindre l'aide de Clawdeen Wolf. C'est une styliste très talentueuse.

—Ce serait vraiment *sang-sass* ! s'exclama Rochelle, emballée, serrant l'une contre l'autre ses petites mains de pierre.

De retour à Monster High à l'heure pour le dîner, Rochelle et ses compagnes firent une brève halte à la salle de courrier pour relever leurs minicryptes à lettres. À sa grande joie, Venus avait déjà un tas de missives de ses petits frères, dûment rédigées sur papier recyclé. Toujours prête à rendre service, Robecca ouvrait à la vapeur les enveloppes de Venus, pendant que Rochelle se désespérait devant sa crypte vide. Toujours rien de Garrott. Elle se demandait s'il n'était pas tombé amoureux d'une autre gargouille, aux doigts plus délicats. Pourtant, bien qu'elle soit dévastée à l'idée de perdre Garrott, son silence apaisait un peu la culpabilité naissante qu'elle commençait à éprouver à propos de son amourette avec Deuce. Depuis qu'elle avait contemplé les yeux de ce garçon, plus moyen de se le sortir de la tête !

Rochelle insista pour que les trois amies se joignent à M. Mort, qui était le surveillant d'internat d'astreinte, à la cafétorreur pour le dîner. Attablées devant une purée de pommes de terre à la sauce au formol, Rochelle, Robecca et Venus tentaient désespérément de faire la conversation à leur morose professeur.

— Monsieur Mort, d'où êtes-vous originaire ? lui demanda Rochelle entre deux bouchées.

— Du pays des nuages gris et des âmes sombres, marmonna-t-il en regardant son assiette d'un air lugubre.

— Ça m'a l'air d'un endroit très cool, répondit ironiquement Venus.

— Depuis quand enseignez-vous à Monster High ? relança Robecca.

— Qui le sait ? Je ne sais même plus depuis

combien de temps je suis mort, gémit le conseiller d'orientation en louchant sur l'assiette de Rochelle. Vous ne finissez pas votre sauce au formol ?

— Je n'ai ni le besoin ni le goût du formol, étant faite de pierre.

— Ça doit être bien d'être en pierre. Les os sont si fragiles, répliqua M. Mort avec un soupir à fendre l'âme.

Le lendemain, Venus, Robecca et Rochelle se rendirent dans la classe de Miss Flapper pour retrouver Frankie à l'heure du déjeuner. De petites cages dorées abritant chacune un minidragon ou un lézard étaient empilées le long des murs. L'art de chuchoter à l'oreille des dragons était une technique ancestrale fondée sur le principe que l'on peut soumettre un dragon par l'hypnose à partir d'une certaine fréquence vocale. Mais, comme c'était dangereux, les élèves s'entraînaient généralement sur des lézards pour réduire les risques d'écailles grillées et de fourrures roussies.

— Bah ! les trolls se comportent au moins correctement avec *certains*, dit Venus en voyant deux créatures crasseuses brosser les dents d'un dragon miniature.

Il faut savoir que cracher le feu laisse une pellicule de suie dans la bouche.

— Je n'arrive pas à croire que Frankie et Clawdeen aient terminé le costume en moins de vingt-quatre heures, s'étonna Rochelle, sincèrement impressionnée.

— Surtout qu'il t'a fallu presque quarante-huit heures rien que pour esquinter le tissu, répondit Robecca, qui se reprit aussitôt. Attends, ce n'est pas ce que je voulais dire.

— *Oh là là !* C'est épouvantastique ! hurla Rochelle en voyant Frankie et Clawdeen approcher avec leur création – un superbe costume vert gobelin rehaussé de coutures argentées.

— C'est sérieusement mortel ! renchérit Venus comme Frankie et Clawdeen leur présentaient le magnifique vêtement.

— *Merci beaucoup !* C'est parfait, s'extasia Rochelle, joignant les mains de délice.

Elle mourait d'envie de faire courir ses petits doigts de granit sur le tissu pour toucher la matière mais, après ce qui était arrivé la dernière fois, elle se retint.

— Miss Flapper dit que la beauté de ce costume vient de nous. Que c'est notre talent, récita Clawdeen d'une voix grave et monocorde.

— Vous vous êtes inscrites au MLM ? demanda Frankie de but en blanc.

—Pas encore, mais nous comptons le faire cet après-midi, feinta misérablement Venus. Nous avons été très occupées avec l'affaire de M. Mort et nos devoirs, et on n'a pas eu le temps.

—Miss Flapper a une idée concernant votre affaire avec M. Mort, annonça Frankie en regardant Rochelle dans les yeux. Elle aimerait que nous leur arrangions un rendez-vous.

—Sans vouloir offenser le protégé de Rochelle, Miss Flapper est une très belle femme, s'étonna candidement Venus. Pourquoi voudrait-elle sortir avec un sac d'os en pleine déprime ?

— Miss Flapper dit qu'il faut toujours regarder d'abord le cœur d'un monstre, déclara Clawdeen.

— Elle doit vous en donner du boulot rien que pour apprendre par cœur tout ce qu'elle dit, grommela Venus d'un ton sarcastique.

À cet instant, Miss Flapper fit irruption dans sa classe, précédée de son capiteux parfum de rose.

— Bonjour, les salua-t-elle d'une voix caressante. Est-ce que les goules vous ont parlé de mon idée ?

— Oui, et je dois dire que je suis très enthousiaste, s'exclama Rochelle. Un rendez-vous, c'est exactement ce dont M. Mort a besoin !

— Et toi, Rochelle ? De quoi as-tu besoin ? questionna Miss Flapper en se penchant vers la petite gargouille, son visage parfait à quelques centimètres du sien.

— Je n'ai besoin de rien, Miss Flapper, mais c'est gentil de demander.

— Ce monde n'est pas fait pour nous ; il a été conçu par et pour les normies. C'est pour cette raison que j'espère vous voir bientôt rejoindre les rangs du MLM.

— Je ne suis pas sûre que nous ferions de bonnes recrues, plaisanta Venus. Je veux dire, on a déjà du mal à faire nos devoirs et à surveiller nos animaux de compagnie.

— Un monstre ne peut conquérir le monde sans le soutien des autres monstres.

— Exact, et pour ça j'ai ces deux-là, répliqua Venus en montrant Robecca et Rochelle.

Miss Flapper dévisagea froidement la punkette colorée d'un regard dont l'intensité croissait chaque seconde.

— Tu as de très jolies boucles d'oreilles. Est-ce que je peux les voir de plus près ? lui demanda Miss Flapper.

Les lianes de Venus se hérissèrent sans raison apparente.

— Euh… oui, bien sûr. Mais elles n'ont rien de spécial. Ce n'est même pas de l'or. En fait, je crois bien qu'elles sont en plastique.

Alors que Miss Flapper se penchait vers l'oreille de Venus, la pièce fut soudain envahie de trombes d'eau. Le proviseur Santête, accompagnée de Mlle Sue Nami, fit son apparition quelques secondes plus tard.

— Miss Flapper, j'espère que vous pardonnerez mon absence d'hier. Mais, voyez-vous, j'avais oublié ma tête dans le labyrinthe et Mlle Sue Nami a eu toutes les peines du monde à la retrouver.

Venus, Robecca et Rochelle profitèrent de cette diversion pour s'éclipser, au grand mécontentement de Miss Flapper.

CHAPITRE onze

Le docteur Clamdestine était un drôle de monstre marin, impossible de dire le contraire. Il avait tout de même fait semblant de fumer une pipe en fromage. Mais, ce jour-là, il était carrément à côté de ses valves.

— Changement de programme à prise d'effet immédiat. Nous ne travaillerons plus sur *Le Magicien d'ogre*. Il m'est apparu que ce livre véhiculait un message subliminal antimonstres. Nous le remplacerons par *Des Monstres et des*

hommes, qui est l'un des textes fondateurs écrits sur l'oppression des monstres, déclara-t-il d'une voix inhabituellement plate et inexpressive.

— *Pardonnez-moi*, mais *Des Monstres et des hommes* n'est même pas au programme. Je le saurais, car j'ai toujours la liste plastifiée sur moi, objecta gravement Rochelle.

— Les générations futures de monstres ne pourront s'épanouir qu'à la lumière des luttes menées par leurs aînés.

— C'est une citation de Jean-Troll Sartre ?

— Non, ces sages paroles sont de notre chère Sylphia Flapper, répondit le docteur Clamdestine sur un ton mécanique.

— Argh ! vous n'allez pas vous y mettre aussi, marmonna Venus entre ses dents.

— Ouais, Miss Flapper est une meuf d'enfer, renchérit Lagoona Blue tandis que le docteur Clamdestine distribuait les nouveaux livres.

— J'espère que Jackson Jekyll n'entendra pas parler de ça, grogna Venus. Ce garçon est un normie, non ?

Robecca secoua la tête avec consternation en prenant son exemplaire.

Dès que la sonnerie retentit, Rochelle empoigna son sac et fila vers la sortie. En bonne élève appliquée, elle espérait trouver un coin tranquille dans la salle d'étude pour s'avancer en lecture.

— Hé, attends ! appela Deuce comme elle jaillissait de la bibliorreur.

Reconnaissant sa voix, Rochelle s'immobilisa. Elle supposait que c'était à quelqu'un d'autre qu'il s'adressait, mais ne put s'empêcher de se retourner. Dans son jean délavé et son tee-shirt noir, il avait l'air si naturellement cool.

— Deuce, articula-t-elle à voix basse, le ventre parcouru de papillons.

Elle n'avait pas éprouvé de telles sensations depuis l'époque de sa rencontre avec Garrott.

— Tu as une minute ? Il faut que je parle à quelqu'un, dit Deuce en regardant autour de lui avec nervosité au cas où Cleo serait en vue.

— Bien sûr, répondit Rochelle, prête à défaillir, ses joues de granit teintées de rose.

— Mais pas ici. C'est une affaire plutôt délicate.

— Je me dois de te rappeler que les gargouilles cassent facilement les objets fragiles. Alors, si ton affaire concerne un objet de verre ou de porcelaine, je te conseille de t'adresser à quelqu'un d'autre.

— Pas délicat dans ce sens, reprit-il en éclatant de rire. Viens vite avant que Cleo nous surprenne.

Le cœur de Rochelle faillit bondir hors de sa poitrine à l'idée de se retrouver seule avec Deuce. Elle savait qu'elle avait tort de se mettre dans un état pareil, mais ne pouvait pas s'en empêcher. Tandis qu'elle lui emboîtait le pas, ses petits pieds de pierre se sentirent pousser des ailes ; elle flottait littéralement. Et ses pieds dansaient presque lorsque les deux jeunes monstres s'assirent à l'une des tables rose fluo en forme de crâne de la salle d'étude.

— J'avais oublié comme c'est agréable de pouvoir regarder quelqu'un dans les yeux, dit Deuce en retirant ses lunettes, exposant son beau visage.

— Entièrement d'accord avec toi, ronronna Rochelle. Alors, pourquoi voulais-tu me voir ? Est-ce que Cleo et toi avez besoin d'aide pour votre campagne de roi et reine de l'école au Bal des Morts joyeux ? Vous gagnerez quoi qu'il arrive. Vous êtes les tenants du titre. Désolée… je parle toujours trop. Qu'est-ce que tu voulais me dire, déjà ?

— As-tu lu l'article de Spectra dans la *Gazette des Monstres* d'aujourd'hui ?

— Sur les vents de changement qui balaient Monster High ? Je dois dire que je l'ai trouvé un peu trop poétique à mon goût journalistique mais, oui, je l'ai lu.

—Elle a écrit quelque chose à propos de la personnalité des élèves qui change et évolue, et ça m'a fait cogiter. Il se passe un truc à Monster High. Au début, j'ai cru que c'était juste Cleo. Elle est devenue distante et a la tête ailleurs – et ce ne sont pas ses fringues ou ses cheveux qui occupent ses pensées. En fait, elle ne s'intéresse même plus aux vêtements qu'elle porte, ce qui me scie complètement. Et puis je me suis rendu compte que beaucoup d'autres avaient un comportement bizarre. Leurs voix surtout, on dirait qu'elles n'expriment plus rien, comme des voix de robot. Je sais que c'est idiot, mais je le sens dans mes tripes. Quelque chose ne tourne pas rond. Et je voudrais savoir si tu l'avais remarqué aussi.

—Puis-je savoir pourquoi tu me demandes ça à moi ? Tu me connais à peine.

— Les gargouilles sont franches et directes. Vous dites les choses telles qu'elles sont. C'est une qualité plutôt rare de nos jours, tu peux me croire. (Deuce plongea ses yeux dans ceux de Rochelle.) Alors, as-tu remarqué quelque chose ?

— À part tes incroyables yeux verts ? balbutia Rochelle, qui se ressaisit bien vite. J'imagine que les gens se comportent bizarrement en effet, mais nous sommes des monstres… N'est-ce pas normal pour nous ?

— Sages paroles, gargouille, sages paroles.

Rochelle rougit malgré elle au son de cet amical « gargouille » dans la bouche de Deuce. Cela sonnait comme un surnom ou une blague qu'ils seraient les seuls à comprendre, preuve qu'il existait un lien entre eux. En retournant vers le dortoir, elle se repassa la scène en boucle, réécoutant la voix de Deuce qui prononçait le mot « gargouille », et sa peau de granit se réchauffait chaque fois un peu plus.

Avec Deuce qui accaparait ses pensées, Garrott lui paraissait bien loin. C'est alors que Rochelle aperçut un zombie dans le couloir, qui faisait le pied de grue devant la chambre des Horreurs et des Pleurs. Et pas n'importe quel zombie, mais un zombie-livreur de Macchab Express ! Cela ne pouvait vouloir dire qu'une seule chose : une lettre de Garrott ! La vague de culpabilité qui s'empara de la jeune gargouille comprima ses poumons de pierre jusqu'à ce qu'ils ne contiennent plus une goutte d'air et soient sur le point de s'effriter.

— Grrrlllll Stlllll ? baragouina le zombie.

— Oui, c'est moi, répondit Rochelle.

Elle déglutit en signant le reçu, ayant reconnu la belle écriture manuscrite de Garrott.

Terrassée par l'émotion et incapable d'affronter ses compagnes de chambre, Rochelle dévala le couloir jusqu'à la salle commune, où elle fondit en larmes. Quand une gargouille pleure, ses larmes sont déviées pour s'écouler directement à ses pieds, où elles finissent par former des flaques. Excellente façon de protéger le granit de l'érosion, mais qui pouvait vite tourner à la catastrophe.

Ne voulant pas risquer l'inondation, Rochelle passa la tête par la fenêtre pour pleurer tout son soûl. Il y avait certes plus confortable comme position, mais c'était toujours mieux que de détremper l'intérieur. Telles étaient les considérations de la petite gargouille pragmatique, même en pleine crise émotionnelle. Mais si Rochelle considérait sa décision comme rationnelle, ce n'était pas le cas de Venus, qui fut extrêmement choquée de découvrir son amie ainsi.

— Je prends ça pour un signe que tu fréquentes trop M. Mort, déclara-t-elle en la tirant à l'intérieur.

— Je n'allais pas sauter, la détrompa Rochelle entre deux sanglots. C'est juste que je ne voulais pas tout inonder.

— Je salue ton effort écologique de recyclage des larmes, mais je ne crois pas qu'il soit prudent pour une créature de ton poids de se pencher par la fenêtre, décréta Venus en tapotant le siège le plus proche. Viens t'asseoir et raconte-moi ce qui se passe.

— Tu n'as pas à t'inquiéter, je ne serais pas tombée, affirma Rochelle en s'installant sur le fauteuil habillé de bandelettes de momie. Venus ! oh, Venus ! je ne veux pas t'embêter avec mes problèmes.

— Nous sommes des amies maintenant, et c'est à ça que servent les amies. Alors vas-y, crache le morceau.

— Je suis une très vilaine gargouille ! Je devrais être exclue du syndicat des gargouilles et réduite en gravier ! sanglota Rochelle.

— Je veux bien croire que vous ayez un syndicat des gargouilles, vu que vous êtes toutes raides dingues des règlements, vous adorez en parler et en inventer de nouveaux, mais je ne vois pas pourquoi ils te gravifieraient, la rassura Venus. Allez, maintenant, raconte. Que s'est-il passé ?

— J'ai reçu un Macchab Express de Garrott ! réussit à dire Rochelle avant de fondre de nouveau en larmes.

— Une lettre ou une carte ? Tu es déçue qu'il ne te l'ait pas envoyée par mail pour réduire l'empreinte carbone de ce gros zombie ? demanda Venus. Attends, je crois que je m'écarte du sujet, là. Que contenait cette lettre ?

— Je ne sais pas. Je ne l'ai pas ouverte ! Je me sens trop coupable ! Garrott m'envoie des lettres de Scaris et, moi, qu'est-ce que je fais ? Je passe mon temps à rêver de Deuce !

Venus s'empara de l'enveloppe, qu'elle déchira d'un coup d'un seul. Elle en sortit une unique feuille de papier rose, qu'elle parcourut lentement des yeux.

— Qu'est-ce que tu veux d'abord, la bonne nouvelle ou la mauvaise ? proposa-t-elle à Rochelle.

— Quoi ?

— D'accord, la mauvaise d'abord. Mieux vaut finir sur une note joyeuse, dit Venus en se raclant la gorge. C'est un poème d'amour.

Rochelle secoua la tête, tenaillée par la culpabilité.

—La bonne nouvelle, c'est qu'il n'est pas très bon.

—Pourquoi est-ce une bonne nouvelle ? s'étonna la jeune gargouille à haute voix.

—Allô, la Terre ? Parce que ça prouve que vous n'êtes parfaits ni l'un ni l'autre. Tu as peut-être un irrépressible béguin pour Deuce – comme la moitié des goules de Monster High – mais Garrott écrit des poèmes d'amour ennuyeux et sans originalité, répondit Venus en s'éloignant avec la lettre.

—Attends ! Qu'est-ce que tu fais ?

—Je la mets dans la poubelle pour recycler le papier.

—Mais c'est un poème d'amour de Garrott ! protesta Rochelle.

—Tu veux dire que tu veux le garder ? demanda Venus, tenant la lettre du bout des doigts.

—Oui, affirma vivement Rochelle.

— Bon, d'accord, capitula Venus. Mais promets-moi de recycler ce bout de papier si jamais vous rompez un jour.

Rochelle acquiesça, étrangement réconfortée par les paroles de Venus. Son amie aux pollens de persuasion avait peut-être raison. Tout le monde avait ses défauts, y compris Garrott. Elle se rappela toutes ces fois où il se fâchait après les pigeons qui le prenaient pour une statue. Ils s'étaient même disputés à cause de ça. Rochelle trouvait indigne d'une gargouille de s'en prendre aux oiseaux. Mais, bon, on pouvait en dire autant d'une fille qui flashe sur un autre alors qu'elle a déjà un petit ami. Mais elle n'avait trahi aucun des nombreux serments de gargouille qu'elle avait prêtés. (Il ne vous aura pas échappé que les gargouilles adorent coucher leurs règles par écrit et se les réciter.)

— Rochelle, sèche tes larmes. Tout va très bien se passer, la réconforta Venus.

— Merci, répondit Rochelle dans un sourire, sincèrement touchée par l'attention de son amie.

— Je suis sérieuse. Tu dois sécher tes larmes ou nous aurons un dégât des eaux sur les bras, précisa Venus.

— Bien sûr, dit tristement Rochelle, puis elle se ragaillardit. On devrait aller chercher Robecca. Je sais qu'elle serait très déçue de ne pas être présente quand nous accompagnerons M. Mort à son premier rendez-vous dans l'après-vie.

— Carrément. Je passe la prendre dans la chambre et on se retrouve dans le bureau de M. Mort, approuva Venus. Je n'arrive toujours pas à croire que Miss Flapper veuille sortir avec lui. Elle est tellement mieux que lui. Mais, d'un autre côté, c'est vrai qu'elle est aussi méga flippante !

CHAPITRE douze

Debout sur le seuil de sa chambre, Venus poussa un cri strident.

— Mais qu'est-ce qui se passe ici ? C'est un comportement inadmissible !

— Pourrrquoi tu crrries comme ça ? demanda Blanche Van Sangre en étouffant un bâillement.

— Bah ! je sais pas trop. Peut-être parce que toi et ta dingo de sœur êtes couchées dans mon lit !

— Et alorrrs ? Nous sommes des Rrromanichelles. Nous n'aimons pas dorrrmirrr plus de

quelques chourrrs au même endrrroit, expliqua patiemment Rose en s'extirpant des couvertures.

—En plus, ton lit était inoccupé, ajouta Blanche en enfilant sa cape de velours noir.

—Ce n'est pas une raison pour le prendre pour une crèche de vampires du voyage où vous pouvez venir faire la sieste quand bon vous semble !

—Trrrès bien, la prrrochaine fois, nous prrrendrrrons le lit de Rrrochelle, s'écria Blanche d'un air indigné.

—Au cas où je ne me serais pas bien fait comprendre, il n'y aura pas de prochaine fois. Et maintenant, ouste. J'ai un truc à faire, grommela Venus en les poussant dehors.

—*Les monstrrres d'aborrrd, et ce serrra l'âche d'orrr*, fredonnèrent les jumelles en franchissant la porte, aidées par Venus.

— Monsieur Mort ! rugit Robecca avec délice. Vous êtes vraiment très chic !

— C'est clair ! Vous êtes très classe, renchérit Venus en clignant de l'œil au conseiller d'orientation toujours aussi morose.

Il faut dire qu'un costume ne faisait pas tout.

— Vous avez l'air d'un monstre d'âge moyen très correct, résuma Robecca avec sa franchise habituelle. N'oubliez pas de faire des compliments à Miss Flapper, de lui avancer sa chaise, et surtout ne lui parlez pas de votre liste de regrets ! Sauf si vous voulez y ajouter ce rendez-vous.

— Oui, oui, j'ai compris, grommela M. Mort avec un de ses gros soupirs.

— Et essayez aussi de soupirer un peu moins, ajouta Venus. (Robecca secoua la tête.) Quoi ? Tout le monde ne kiffe pas les soupirs. Simple suggestion.

—*Bonne soirée et bonne chance*, Monsieur Mort, souhaita Rochelle en lui serrant doucement le bras.

—Aïe ! couina M. Mort avec un regard de reproche à la jeune gargouille.

—Désolée, s'excusa-t-elle avec embarras. Parfois, je ne sens pas ma force.

Après avoir escorté M. Mort jusqu'à la classe de Miss Flapper, les trois amies s'en retournèrent vers le dortoir. Elles n'étaient qu'à mi-chemin du grand corridor quand Venus remarqua le troll au nez rouge qui la dévisageait en roulant des yeux nerveux. La créature lui fit signe de la suivre, ce qui la mit mal à l'aise, car elle ne savait pas quoi faire. Elle était tentée d'ignorer la vilaine petite bête, mais sa curiosité l'emporta. Pour dire les choses autrement, elle voulait savoir ce que le troll avait à lui dire, même si c'était n'importe quoi.

— Hé, je vous retrouve là-haut, les goules. J'ai laissé mon livre de Sciences folles au labo, dit-elle à ses camarades.

— Tu peux partager le mien, offrit gentiment Robecca.

— Merci, mais on ne m'a pas appris à partager quand j'étais un jeune plant, et j'ai toujours du mal, se défila Venus en prenant la tangente.

La petite créature malpropre l'attendait devant une rangée de casiers à côté du laboratoire de Sciences folles dingues.

— Moi prévenu vous ! Maintenant trop tard ! grommela le troll, balayant d'un regard inquiet le corridor violet et vert.

— De quoi m'avez-vous prévenue ? demanda Venus.

— Vous pas écouté ! Maintenant trop tard. École perdue, grogna-t-il craintivement.

— Je ne comprends toujours pas. Pouvez-vous m'expliquer encore une fois ? implora Venus.

— Trop tard, grogna le troll avant de filer à toute allure d'un pas chancelant malgré son embonpoint et son grand âge.

— Attendez ! Attendez ! le rappela Venus en lui courant après.

— Mouvement Libération Monstres ! Miss Faitpeur, siffla le troll.

— Vous voulez parler de Miss Flapper ? La chuchoteuse de dragons ?

— Pas chuchoteuse dragons. Chuchoteuse *monstres*, dit le troll, dont la peur suintait par tous les pores. Elle contrôler tous les trolls sauf moi. Bientôt, elle contrôler vous tous, assena-t-il d'un air sinistre, avant de détaler pour de bon.

Venus regagna le dortoir, faisant carburer son cerveau pour essayer de donner un sens à ce qu'elle venait d'entendre. Enroulant ses lianes autour d'un doigt pour tromper sa nervosité, elle se repassa mentalement les paroles du troll. La vérité éclatait enfin. Miss Flapper ne chuchotait pas à l'oreille des dragons, mais à l'oreille des *monstres*. Tout lui parut soudain si évident. Elle ne portait pas les marques de brûlure habituelles des chuchoteurs de dragons. Et tous ceux qui gravitaient autour d'elle paraissaient sous l'emprise d'un mystérieux sortilège. Des élèves sympathiques et ouverts, comme Frankie Stein, étaient devenus froids et hostiles, totalement obsédés par Miss Flapper.

Ce qui amenait une question : que cherchait Miss Flapper ? Qu'espérait-elle obtenir en prenant le contrôle de Monster High ?

Pendant que Venus regagnait leur chambre, Robecca emmena Penny faire une petite balade dans le labyrinthe histoire de dérider son irascible pingouin. Apparemment, Chewlian avait mordu l'aile de Penny plus tôt dans la journée, la confondant avec un cookie. Mais ses bonnes intentions furent bientôt réduites à néant lorsque Robecca égara Penny.

— Nom d'une pipe en bois ! Penny va me tuer, gronda Robecca, la vapeur lui sortant par les deux oreilles tandis qu'elle cherchait son amie partout.

Elle alluma ses bottes-fusées et fit un tour aérien du dédale, sans résultat. Robecca regagna le sol, sans plus savoir quoi faire.

— Salut, Robecca, dit doucement Cy Clops en émergeant de l'ombre des fourrés, Penny dans une main. J'espère que je ne t'ai pas fait peur.

— Tu as trouvé Penny ! Merci ! Par ma chandelle verte, tu es vraiment le garçon le plus épatant du lycée !

— Je ne sais pas...

— Si, c'est la vérité. Chaque fois que j'ai besoin de savoir l'heure ou que j'ai perdu mon pingouin, on dirait que tu es toujours là, prêt à m'aider.

Cy regarda Robecca de son gros œil vert et lui sourit. Elle fut frappée par l'innocence et

la compassion qui émanaient de ce garçon. Il semblait incapable de faire quelque chose de louche ou de sournois.

— Je suis heureux d'avoir pu t'aider, dit-il avec un sourire timide.

— Tu permets que je te pose une question : est-ce que tu aides tout le monde au lycée ?

— Non, rien que toi.

Il s'empourpra.

— Est-ce que ça signifie que tu me suis ?

— Je voulais être sûr qu'il ne t'arriverait rien.

Cy déglutit bruyamment, visiblement dépassé par cette conversation avec Robecca. Après des mois à n'avoir rêvé que de ça, le vivre pour de vrai lui semblait irréel. En plus, elle était encore plus jolie de près qu'il ne l'avait même imaginé. Et, malgré ses cheveux qui frisottaient et son visage luisant de vapeur, elle représentait pour lui la perfection.

—Au début, je te trouvais juste belle, et j'avais envie de te regarder. Mais, au fur et à mesure que les choses sont devenues de plus en plus bizarres ici, j'ai éprouvé le besoin de te protéger. D'être là au cas où quelque chose arriverait.

—Qu'est-ce qui pourrait arriver ? s'étonna-t-elle. On est à l'école.

—Il y a un truc qui cloche à Monster High, révéla Cy à voix basse en regardant autour de lui pour s'assurer qu'ils étaient bien seuls.

—Tu parles de la cantine ? J'ai déjà goûté mieux, mais tu t'attendais à quoi ? C'est de la bouffe de cafétorreur.

—Je ne parle pas de la nourriture. En fait, j'aime bien ce qu'ils servent ici ; c'est bien meilleur que ce que cuisine ma mère à la maison, dit Cy en faisant la grimace. Je parlais des réunions.

—Quelles réunions ?

—Les réunions du MLM. Miss Flapper les tient dans les oubliettes.

— Les clubs scolaires ne sont pas interdits ! s'esclaffa Robecca.

— Un jour, j'ai oublié mon sac après une retenue…

— Tu as eu une retenue ? s'étonna sincèrement Robecca.

— J'ai pris un peu de retard dans mes devoirs à force de te suivre partout. Bref, je suis redescendu dans les oubliettes pour chercher mon sac et j'ai vu…

Cy s'arrêta tout net.

— Nom d'un petit bonhomme ! ne me fais pas languir ! Qu'est-ce que tu as vu ?

— Une salle remplie de gens chuchotant à l'oreille les uns des autres. On aurait dit des milliers de serpents sifflant tous à la fois ! Je sais que ça paraît ridicule mais, si tu avais été là, à toi aussi ça t'aurait fichu les…

— ... chocottes ? devina Robecca.

— J'allais dire « les jetons », mais ça le fait aussi.

— Pour tout t'avouer, je n'ai jamais aimé les gens qui chuchotent, lui confia Robecca en se creusant les méninges pour trouver une explication rationnelle à ce que Cy avait décrit.

— Ma mère dit toujours qu'on chuchote tout bas ce qu'on ne peut pas dire tout haut, approuva Cy.

— Exactement ! acquiesça Robecca énergiquement.

— Je peux te raccompagner chez toi, maintenant ? demanda Cy d'un air transi. Je ferais bien d'aller voir ce que devient Henry.

CHAPITRE treize

— onsieur Mort, vous voilà enfin ! Ça fait des *jours* que je vous cherche, s'écria Rochelle en entrant dans la bibliorreur.

— Pourquoi me cherchiez-vous ? demanda M. Mort, bras croisés.

Il plissa vers Rochelle ses petits yeux injectés de sang.

— Je voulais prendre de vos nouvelles et savoir comment s'était passé votre rendez-vous avec Miss Flapper.

— Elle va tous nous sauver, nous guider sur le droit chemin jusqu'à ce que nous ayons accompli notre destinée, récita mécaniquement M. Mort.

— *Pardonnez-moi*, mais je suis un peu perdue. Vous parlez de Miss Flapper comme si c'était votre coach de vie, pas votre petite amie. Que s'est-il passé ?

— Vous essayez d'être drôle ? Un coach de vie pour un mort ? demanda sèchement M. Mort.

— Pas du tout. Je voulais juste dire que vous ne parlez pas de Miss Flapper comme d'une petite amie, mais plutôt comme d'un gourou.

— Ne dites pas de mal de La Frappe, avertit froidement M. Mort.

— La Frappe ? C'est comme ça que vous l'appelez ? demanda Rochelle, qui cherchait à comprendre.

— C'est dorénavant son titre officiel à Monster High, annonça-t-il. Quiconque sera pris à médire sur elle ou à l'appeler par son ancien nom écopera d'une retenue.

—Je suis désolée. Je n'étais pas au courant de ce changement de nom ni de la modification du règlement concernant la liberté d'expression, se vexa Rochelle.

—La Frappe sait que vous vous employez à saper son autorité, à nous tourner contre elle et son action, poursuivit M. Mort, les yeux agrandis par la paranoïa.

—Monsieur Mort, je ne sais pas du tout de quoi vous parlez.

—Elle a dit que vous diriez ça, maugréa M. Mort avant de pousser un de ses célèbres soupirs à fendre l'âme.

—Je crois que je ferais mieux de partir, dit Rochelle en se dirigeant vers la porte.

—Ne vous éloignez pas trop. La Frappe va bientôt s'adresser à vous et à vos camarades, annonça calmement M. Mort, et un frisson

glacé parcourut la colonne vertébrale de pierre de la jeune gargouille.

Blessée et perturbée par le comportement de M. Mort, Rochelle s'empressa de quitter la bibliorreur et s'engouffra dans le corridor. Alors qu'elle se hâtait vers le dortoir et le réconfort de sa chambre, elle sentit le picotement familier des larmes qui lui montaient aux yeux. Ce n'était pas tant les paroles de M. Mort que la façon dont il les avait prononcées. Sa voix était totalement désincarnée, ce qui n'avait jamais été le cas jusqu'ici.

—Je ne suis pas médecin, mais je pense que mon diagnostic est correct. M. Mort est devenu fou ! *Complètement fou !* Il a totalement perdu le contact avec la réalité. Et le pire dans tout ça, c'est qu'il est de très mauvaise humeur ! hurla

Rochelle en déboulant comme une furie dans la chambre des Horreurs et des Pleurs, ce qui ne lui ressemblait pas du tout.

— Oublie M. Mort ! répliqua une Robecca hystérique. Miss Flapper organise d'étranges sessions de chuchotage pendant ses réunions du MLM. Ils sifflent tous comme des serpents ! Sac à papier, qu'est-ce que vous dites de ça ?

— J'en dis que nous avons affaire à une chuchoteuse de monstres, déclara fermement Venus, qui venait d'entrer dans la chambre et referma soigneusement la porte derrière elle.

— Une chuchoteuse de monstres ! couina Robecca. Mais qu'est-ce que ça veut dire ?

— Ça veut dire que Miss Flapper utilise sa voix pour soumettre les monstres par l'hypnose, expliqua Venus.

— Mais pourquoi ferait-elle une chose pareille ? hoqueta Rochelle. M. Mort ! Ah ! elle a dû l'hypnotiser, lui aussi !

— Nom d'une pipe en bois ! qu'allons-nous faire ? demanda nerveusement Robecca.

— Robecca, pas besoin de grincer des rouages ! Tout ce que nous avons à faire, c'est informer le proviseur Santête de la situation et tout sera réglé, proposa calmement Rochelle, qui faisait de son mieux pour apaiser les circuits en surchauffe de son amie.

— Est-ce que le proviseur Santête est capable de gérer une telle situation ? Elle n'a pas toute sa tête en ce moment. Oui, je sais, c'est l'hôpital qui se moque de la charité, fit remarquer Robecca.

— Tu as raison. Le proviseur Santête n'est pas la bonne personne, approuva Venus. Allons plutôt trouver Mlle Sue Nami. Elle est grossière et arrogante, mais elle fait son boulot.

— Le plus tôt sera le mieux. La situation est déjà sérieusement hors de contrôle, précisa Rochelle en tambourinant des doigts sur le dos de Roux avec nervosité.

— D'accord, c'est parti ! Nous avons une femme-vague à trouver, déclara Venus en ouvrant la porte.

Après être passées au secrétariat général, les trois amies se dirigèrent vers le cimetière,

ayant été informées que Mlle Sue Nami faisait une inspection surprise dans le jardin. Il était interdit de cultiver des plantes sauvages, la pollinisation croisée des mauvaises espèces pouvant avoir des conséquences désastreuses. Alors qu'elles approchaient du cimetière, elles découvrirent une scène des plus abominable juste devant la grille. Miss Flapper, vêtue d'une somptueuse robe de velours rouge, chuchotait à l'oreille d'un élève. Et cet élève était… Deuce Gorgon.

Rochelle poussa un cri et plaqua ses petites mains de pierre contre sa bouche.

— Par ma chandelle verte, qu'est-ce qu'on fait maintenant ? grinça Robecca en se tournant vers Venus.

— Il n'y a rien à faire, répondit la fille aux lianes en contemplant les lèvres parfaites de Miss Flapper appliquées contre l'oreille de Deuce. C'est trop tard.

Le visage du garçon se vida de toute expression pendant quelques secondes, exactement comme les autres élèves un peu plus tôt dans le grand corridor.

— Deuce ! cria Rochelle dans une tentative désespérée de couvrir la voix de Miss Flapper.

Malheureusement, Rochelle ne réussit qu'à attirer l'attention de l'enseignante dérangée. Frémissante d'excitation, Miss Flapper se rua sur elles.

— Les goules ! il faut absolument que je vous parle ! les interpella la femme-dragon stylée.

Venus, Robecca et Rochelle échangèrent un regard tendu et prirent leurs jambes à leur cou.

Elles bifurquèrent deux fois et traversaient la cour à vive allure quand elles furent stoppées par une voix rocailleuse.

— Becca ? Benuz ? Bozelle ? grogna un troll affligé d'un zézaiement prononcé.

— Comment connaissez-vous nos noms ? s'étonna Rochelle, dont le cœur de granit battait la chamade.

— Il ne les connaît pas, à moins que tu aies changé le tien pour Bozelle, releva Venus.

— Venus, ce n'est pas le moment de faire de l'humour ! lui rappela sèchement la petite gargouille.

— La Frappe voir vous tout de zuite ! postillonna le troll.

Venus s'éloigna lentement à reculons de la petite créature grotesque.

— Désolée, je ne comprends pas le troll.

— Pas partir ! La Frappe voir vous tout de zuite ! hurla le troll plus fort.

— *Pardonnez-moi ?* Monsieur le troll, je suis navrée, mais je ne parle pas très bien l'horroricain, dit Rochelle en emboîtant le pas de Venus, aussitôt suivie de Robecca.

— Pas fuir ! Stop !

— On se tire ! Maintenant ! brailla Venus, et les trois filles piquèrent un sprint.

Et même si les jambes de pierre de Rochelle se mouvaient plus lentement que celles de ses amies, elle était encore plus rapide que le vieux troll aux genoux cagneux. En fait, la petite créature crasseuse était si lente qu'elle ne put même pas distancer la grenouille-taureau en vadrouille qui l'accompagna en sautillant dans le couloir. Situation hautement vexatoire pour le troll, qui ne risquait pas de s'en vanter par peur du ridicule.

— Saperlotte ! je crois que je suis en surchauffe ! Je vais griller un joint de culasse ! explosa Robecca, de la vapeur s'échappant en masse de ses deux oreilles.

— Refroidis tes pistons ! J'entends un bruit de vague, dit Venus d'un air triomphant. Mlle Sue Nami ! appela-t-elle dès qu'elle eut visualisé la colonne d'eau humaine. Nous devons vous parler ! C'est une urgence.

— Je vous accorde trente secondes, entités scolaires. J'ai une crise végétale sur les bras dans le cimetière.

— Miss Flapper a jeté un sortilège à toute l'école ! Nous ne savons pas pourquoi, mais elle l'a fait ! expliqua Robecca, la vapeur dégoulinant de son front de métal.

— C'est la chose la plus démente que j'aie jamais entendue, gronda Mlle Sue Nami, incrédule.

— Je sais, mais c'est la vérité, plaida Rochelle pour tenter de convaincre la femme au visage sévère.

— Je n'ai jamais dit que c'était faux. J'ai seulement dit que c'était la chose la plus démente que j'aie jamais entendue, répliqua Mlle Sue Nami avec son pragmatisme habituel. Je dois vous avouer que je me méfie de Miss Flapper depuis le premier jour ! Je ne fais pas confiance aux gens populaires. Je ne l'ai jamais fait, je ne le ferai jamais.

— Remercions le ciel que vous ayez été persécutée à l'école, murmura Venus entre ses dents.

— Soyez tranquilles. Je m'en occupe immédiatement, déclara Mlle Sue Nami, très sûre d'elle. Puis-je vous suggérer de retourner dans vos chambres et de rester à l'écart des combats ?

— Je pense que c'est une excellente idée, approuva aussitôt Rochelle.

— J'aurais dû m'en douter. Quel professeur qui se respecte s'affublerait elle-même d'un surnom ? rugit Mlle Sue Nami.

Sur ces mots, la femme-vague s'éloigna à grands pas qui ébranlèrent le sol.

CHAPITRE quatorze

À peine les trois goules avaient-elles regagné la chambre des Horreurs et des Pleurs qu'on frappa timidement à leur porte.

—Je vous jure, si c'est encore ces deux jumelles qui viennent piquer un somme, je vais sortir mes épines ! annonça Venus en se dirigeant vers la porte.

—Et si c'est un troll ? s'alarma Robecca. Envoyé pour nous ramener de force dans l'antre empestant la rose de Miss Flapper ?

—Qui est là ? grogna agressivement Venus à travers le battant.

—C'est Cy Clops. Tu ne te souviens peut-être pas de moi, mais nous avons plusieurs cours en commun. Je suis le garçon qui n'a qu'un œil au milieu du front. Je suis interne et je partage la chambre d'Henry Lebossu, débita Cy.

Venus ouvrit la porte dans un éclat de rire.

—Nous savons qui tu es, Cy, lui dit-elle gentiment en lui faisant signe d'entrer.

—Bonjour, Robecca, bonjour, Rochelle.

Cy croisait les bras d'un air gêné en contemplant le sol.

—Nous sommes allées voir Mlle Sue Nami, l'informa Robecca d'un ton assuré. Elle a dit qu'elle s'occuperait de tout.

—De tout ? Je ne crois pas qu'elle se rende compte de ce qu'elle doit affronter. Et nous non plus. J'espère me tromper, mais je n'ai pas l'impression qu'il sera facile de se débarrasser

de Miss Flapper. Toute l'école est derrière elle à présent. Même Henry, expliqua Cy avec une pointe de tristesse.

— Comment a-t-elle pu atteindre Henry ? s'étonna Rochelle. Le Mouvement de Libération des Monstres ?

— J'ai raconté à Henry ce que j'ai vu dans les oubliettes. Il a voulu vérifier de ses propres yeux et, lorsqu'il est rentré, il avait changé.

— Il sera bientôt de nouveau lui-même, le rassura Robecca comme Cy se laissait lourdement aller contre le mur.

— Aïe ! s'écria le jeune cyclope, qui se retourna pour voir ce qui l'avait mordu.

— Désolée ! Il faut vraiment que je mette une pancarte ou un truc, s'excusa Venus. « Attention, plante carnivore affamée. »

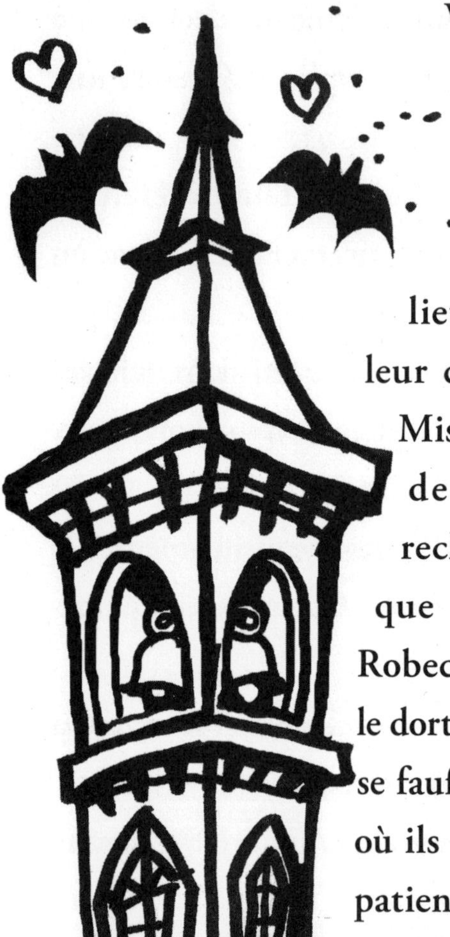

Venus avait convaincu ses camarades qu'ils feraient mieux de se cacher dans le clocher au lieu d'attendre dans leur chambre au cas où Miss Flapper enverrait des trolls à leur recherche. C'est ainsi que Venus, Rochelle, Robecca et Cy quittèrent le dortoir en catimini pour se faufiler dans le clocher, où ils prirent leur mal en patience. Entre quelques regards jetés par les fenêtres ouvertes, ils jouèrent aux cartes et somnolèrent par intermittence, spéculant inlassablement sur ce qui se passait dehors. Un silence de mort régnait sur l'école, seulement troublé de temps à autre par le pas martial des trolls.

—J'aimerais vraiment savoir où en sont les événements. Serait-il possible que les combats soient terminés et que nous nous retranchions ici pour rien ? s'enquit Rochelle, pleine d'espoir.

—J'en doute. Mlle Sue Nami nous aurait envoyé un signal, lui objecta Venus.

De petites bouffées de vapeur s'échappaient des oreilles de Robecca.

—Cette expérience m'aura au moins appris une chose : je ne suis pas faite pour la prison. Je ne tiens pas en place. C'est contre nature pour moi.

—À moins qu'une loi n'interdise d'évoquer les pipes en bois et les chandelles vertes, je ne vois pas pourquoi tu irais en prison. En revanche, j'imagine très bien Venus se faire

arrêter pour tout un tas de raisons, toutes mieux intentionnées les unes que les autres mais illicites, déclara Rochelle, toujours pragmatique.

—Et toi ? rétorqua Venus aussi sec.

—Les gargouilles sont très douées pour se plier aux règlements et ne vont jamais en prison, précisa Cy.

—Bien dit, Cy, approuva Rochelle avec un sourire.

Le semblant de calme fut soudain rompu par une sonnerie stridente qui retentit à travers tout l'établissement. Les quatre amis échangèrent des regards perplexes et décontenancés.

Des voix surgirent dans le hall.

—État d'urgence ! État d'urgence ! Tous au vampithéâtre ! Tous au vampithéâtre !

—Qu'est-ce que vous en pensez ? demanda Cy.

—Mlle Sue Nami convoque peut-être une réunion pour annoncer la fin du règne de Miss Flapper, suggéra Venus.

— Ou c'est Miss Flapper elle-même ! s'exclama Rochelle.

— J'ai toute confiance en Mlle Sue Nami, affirma Robecca avec optimisme.

— Il n'y a qu'une seule façon d'en avoir le cœur net, déclara Venus, visiblement inquiète.

L'escalier du clocher était sombre et humide, et avait bien besoin d'un ravalement. Des fissures boursouflaient les murs et l'on entendait des bruits d'eau de mauvais augure. L'endroit était lugubre et ils se réjouissaient de le quitter… jusqu'à ce qu'ils découvrent le chaos dans le hall. Arrivant de partout, les élèves convergeaient au pas de charge vers le vampithéâtre. Bien que les chances soient très minces que Mlle Sue Nami ait pu autoriser un tel désordre, nos quatre amis continuaient d'espérer contre toute raison qu'elle était encore aux commandes.

Le grand vampithéâtre pourpre et or était plein à craquer, comme il l'avait été pour la réunion de rentrée. Cette fois, pourtant, l'excitation du début d'année avait cédé la place à une tension et une anxiété palpables. Robecca, Cy, Venus et Rochelle se glissèrent au dernier rang et se tassèrent sur leur siège en gardant un œil sur les trolls.

— Bonjour, chers élèves. Je suis heureuse que vous ayez entendu la sonnerie d'urgence et soyez tous venus, déclara posément le proviseur Santête.

— Elle semble dans son état normal, ce qui est bon signe, chuchota Venus à Robecca d'un air encourageant.

— Comme beaucoup d'entre vous le savent, j'attends depuis de longues années l'occasion de déclencher la sonnerie d'urgence ! poursuivit le proviseur Santête. J'ai toujours rêvé d'être confrontée à une priorité tellement énorme que

je serais obligée de sonner l'alarme. Et je suis fière de vous annoncer que ce jour est venu. Si seulement je pouvais me rappeler pourquoi… Une épidémie de grippe ? Une invasion d'insectes mutants ? La gale des têtes de citrouille ? Ou je voulais peut-être tout bonnement vous dire bonjour. Mais oui, c'est sûrement ça. Bonjour, les monstres ! Merci à tous d'être là !

Tandis que le proviseur Santête saluait la foule, Mlle Sue Nami fonça sur scène, bousculant sa supérieure.

— Mademoiselle Sue Nami ? Sommes-nous censées nous battre ? s'enquit le proviseur Santête en se mettant en garde.

— Madame, nous ne devons certainement pas nous battre ! gronda la conseillère principale des catastrophes avant de lui murmurer quelques mots à l'oreille.

— Oh, oui ! s'exclama le proviseur Santête. Quel soulagement de retrouver la mémoire ! Merci.

La vision familière de Mlle Sue Nami rappelant au proviseur Santête ce qu'elle devait dire apaisa grandement les nervures de Venus. Cela lui rappela le jour de la rentrée, où elle avait décidé que cette école était un bon terreau pour une jeune plante. Et maintenant, même si elle ne savait pas encore très bien quelle était sa nature, voilà qu'une redoutable épidémie les menaçait.

— Chers petits monstres, comme vous le savez, j'adore mon métier. C'est le plus beau métier du monde. Et peut-être aussi le plus important. Car c'est ici, à Monster High, que nous formons les générations futures, que nous les éduquons et les préparons, débita-t-elle avec animation.

— Elle parle des examens d'entrée à l'université ? murmura Rochelle pour elle-même.

— Je vous ai bien guidés – ou du moins je le crois. Je n'en ai aucun souvenir en cet instant précis, mais si, pour une raison quelconque, cela n'a pas été le cas, merci de garder cette information pour vous. Les critiques constructives n'intéressent plus les femmes de mon âge. À quoi bon ? Nous sommes trop vieilles pour changer. Et puisqu'on parle d'âge, je crois que j'ai passé celui de vous guider comme vous le méritez. Vous avez besoin de sang neuf, d'un chef capable de vous aider à prendre dans le monde la place qui vous revient en tant qu'espèce dominante. Nous ne voulons plus de la quatrième position après les normies, les chiens et les furets.

—Qui nous a classés après les furets ? grommela Venus, à qui la nervosité nouait l'estomac.

—Je passe donc le relais à La Frappe, décision qui prend effet immédiatement.

Entourée de trolls en uniforme militaire marine et rouge, Miss Flapper entreprit de gravir les marches jusqu'à l'estrade, sûre de son pouvoir. Envolé le semblant de douceur qu'elle avait affiché jusqu'ici, remplacé par une dureté mêlée d'arrogance. Elle était vêtue d'une austère

robe noire à col officier, ornée d'une flopée de boutons brillants, avec des épaulettes qui lui donnaient un air de général. Une coiffure austère – elle avait relevé ses cheveux en un chignon serré sur le haut de son crâne – venait compléter cette image de femme à poigne.

Le visage sévère, Miss Flapper s'approcha lentement du podium, faisant durer chaque pas.

— Ce jour est un nouveau commencement. Aujourd'hui, nous posons la première pierre d'un nouveau règne. C'est pourquoi j'abolis par la présente toutes les activités récréatives et compétitives telles la CRIM et les POM POM Monstres. Pas de temps à perdre avec les distractions et la discorde quand nous nous préparons à prendre la place qui nous est due. Tous ceux qui ne sont pas avec nous sont contre nous. Plus de demi-mesures. Nous sommes à présent des combattants ; plus jamais nous ne nous laisserons marginaliser par les normies !

déclama Miss Flapper tout en battant des ailes pour donner plus de force à ses mots.

—Par les poils de la barbe de Phileas Fogg ! qu'est-ce qu'elle vient de dire, là ? demanda Robecca à Cy, complètement paniquée.

—Je ne veux pas te faire peur, mais ce n'est pas bon, répondit-il.

—Non seulement ce n'est pas bon, mais c'est même terrible, ajouta Venus, séchée sur pied par la déception.

Miss Flapper fit alors un signe à la foule, tandis qu'un chœur de démons d'Halloween en uniforme la rejoignait sur scène pour entonner *l'Hymne de libération des monstres*.

—*Les monstres d'abord, ce sera l'âge d'or...*

Nos quatre jeunes monstres, choqués jusqu'à la moelle, s'éclipsèrent dans le corridor, ne

sachant pas quoi faire, ni même s'il y avait quelque chose à faire. C'est tête basse et les yeux embués de larmes qu'ils avançaient, et ils ne virent pas tout de suite les affiches placardées sur les casiers roses en forme de cercueil. Ils reconnurent pourtant bientôt leurs propres visages – des portraits peu flatteurs – au-dessus du message suivant : « Avis de recherche pour interrogatoire. Si vous apercevez ces monstres, merci de les signaler au troll le plus proche. »

— Baissez la tête et suivez-moi, ordonna Venus, faisant de son mieux pour ne croiser le regard de personne dans le hall.

— Sac à papier ! couina Robecca, j'ai mes vapeurs !

— Chut, lui intima Rochelle. Enlève ton pull et enroule-le sur ta tête comme un foulard. Ça devrait en absorber au moins une partie.

Cy couva Robecca du regard tandis qu'elle enroulait son pull-over à pois autour de ses

oreilles avant de suivre Rochelle et Venus dans le couloir. Il n'aurait pas su expliquer pourquoi il éprouvait un tel besoin de la protéger, mais c'était un fait. Depuis la première fois qu'il avait posé l'œil sur la fille mécanique, il avait envie d'être près d'elle.

Ils obliquèrent en direction du labyrinthe et Robecca effectua une reconnaissance aérienne afin de localiser l'endroit le plus isolé où se réfugier. Là, cachés parmi les bosquets mal taillés, les arbres qui avaient poussé de travers et la ferraille au rebut, les quatre amis firent le point sur la situation.

— *Je ne comprends pas !* Pourquoi Miss Flapper en a-t-elle après nous ? Qu'avons-nous fait ? réfléchit Rochelle à haute voix.

— On dirait des affiches sorties tout droit du Far West, dit Robecca, la vapeur de ses oreilles giclant au visage de Cy. Sapristi, je suis désolée !

— Au contraire, c'est bon pour ma cornée. J'ai oublié mes gouttes pour les yeux au dortoir.

— Quelque chose m'échappe. Pourquoi nous ? Sommes-nous les seuls à ne pas être sous l'effet de son sortilège ? ou bien est-ce autre chose ? demanda Venus à la ronde.

— Nous sommes les quatre seuls élèves du lycée à ne pas être inscrits au MLM. C'est aussi simple que ça. Nous formons littéralement le dernier bastion de résistance, expliqua Rochelle d'un air presque aussi sinistre que celui de M. Mort.

— Elle a raison, approuva Cy. Miss Flapper sait très bien qui est avec elle et qui ne l'est pas.

— On devrait peut-être aller voir le shérif en ville, suggéra Robecca.

— Et on lui dirait quoi ? Que notre nouvelle directrice a lavé le cerveau de tout le monde ? répliqua Venus. Je doute qu'il nous croirait. Et s'il nous croit et qu'il se pointe ici, nous courrons le risque que le shérif se retrouve lui aussi sous l'emprise de son sortilège. Ce pourrait être catastrophique pour Salem.

— Comme j'aimerais être à Scaris ! s'écria Rochelle. Je saurais exactement quoi faire. Appeler SOS gargouilles, rapporter le problème et attendre l'arrivée du comité consultatif.

— Nous n'avons peut-être pas de comité consultatif, mais nous sommes ensemble et pouvons compter les uns sur les autres, murmura Robecca. C'est notre meilleur atout.

— Cy ? l'interrompit Venus. Je ne peux cesser de penser à ce que tu as dit tout à l'heure, que nous ne savons pas à qui nous avons affaire. Tu as raison et, tant que nous n'en saurons pas plus, nous ne pourrons pas l'arrêter.

— Commençons donc par récapituler tout ce que nous savons sur Miss Flapper, proposa Rochelle.

— Elle a été transférée d'une école de monstres en Léthalie, rappela Robecca. Et ils

lui ont offert une armée de vieux trolls comme cadeau de départ.

Venus hocha la tête.

— Il faut que nous parlions au personnel de son ancien établissement, pour savoir pourquoi elle est partie, et obtenir tout ce qu'ils pourront nous apprendre sur elle.

— Pour ça, nous devrons nous introduire par effraction dans le secrétariat général et trouver le dossier personnel de Miss Flapper, les prévint Cy.

— Cy, je n'aurais jamais imaginé que tu étais un rebelle, minauda Robecca, visiblement impressionnée par un garçon qui n'hésitait pas à enfreindre la loi.

— Comme vous le savez, je ne peux pas cautionner une entrée par effraction. D'un autre côté, je vois bien que c'est nécessaire dans ce cas, pour le bien général, hésita Rochelle.

— Tu n'es pas obligée de venir avec nous si ça te met mal à l'aise, décréta Venus. On peut se débrouiller tous les trois.

— Je viens avec vous. Comme l'a dit Robecca, nous sommes ensemble dans cette galère, et nous devons nous serrer les coudes.

— C'est inscrit dans le Code éthique des gargouilles ? plaisanta Venus.

— C'est inscrit dans le Code éthique de Rochelle Goyle.

WANTED
WANTED
WANTED

CHAPITRE quinze

Avec leurs portraits placardés dans tout le lycée, il leur était presque impossible de se rendre au secrétariat général sans se faire voir. Les quatre amis décidèrent donc d'attendre la nuit pour quitter le labyrinthe.

Cette nuit-là, accompagnés du froufroutement des chauves-souris, Robecca, Rochelle, Venus et Cy se faufilèrent sans bruit dans le corridor principal, à l'affût des trolls. Beaucoup de choses avaient changé en peu de temps depuis la prise de pouvoir de La Frappe. Les élèves

recevaient toutes les heures des mémos sur leurs iCercueils pour les informer des nouvelles règles en vigueur, depuis l'abolition de la liberté d'expression jusqu'à la tenue réglementaire des trolls. Selon les dernières directives, ceux-ci devaient porter un uniforme marine et rouge, coiffer leurs cheveux en queue-de-cheval et se déplacer en formation militaire lorsqu'ils pa*troll*aient les couloirs.

— Ça en dit long sur les trolls qu'il ait fallu en arriver là pour les obliger à se laver, fit remarquer Venus alors qu'ils se dissimulaient dans l'ombre d'une porte pour laisser passer les dernières patrouilles du soir.

— Exactement ce qu'on savait déjà : que leur espèce ne tient pas l'hygiène corporelle en très haute estime. C'est pourquoi *Le Guide Lichelin des gargouilles* recommande de refuser toute invitation d'un troll, répondit Rochelle.

Venus entraîna ses camarades dès que la voie

fut libre. Ils passèrent la cuisine expérimortelle, le laboratoire de Sciences folles dingues et arrivèrent finalement devant la grande porte de fer du secrétariat général.

— C'est fermé à clé, chuinta Robecca. Venus, j'imagine que tu sais ouvrir les serrures avec tes lianes.

— Qu'est-ce que tu veux dire par là ?

— Poussez-vous, je vous prie, ordonna Rochelle à tout le monde. Pour une fois, mes petites griffes de granit vont pouvoir être utiles.

Rochelle sonda le mécanisme de la serrure jusqu'à ce que la porte s'ouvre. Une fois à l'intérieur du bureau encombré de paperasses, les quatre amis se séparèrent pour trouver le dossier personnel de Miss Flapper et retourner au plus vite dans la sécurité du labyrinthe.

Assise à un bureau où elle examinait des papiers, Rochelle était si concentrée qu'elle n'entendit pas les craquements sous elle. La chaise qui supportait son poids appelait au secours, comme cela arrivait fréquemment lorsqu'un meuble devait accueillir sa masse considérable en dépit de son corps menu. Mais la jeune gargouille était trop occupée à chercher des informations sur Miss Flapper pour prêter attention à la détresse de la pauvre chose, et ce n'est qu'en se retrouvant les quatre fers en l'air sur un tas de bois cassé qu'elle se rendit compte qu'il y avait un problème.

—Rochelle? appela une voix familière dans le couloir.

—Deuce? C'est toi?

—Est-ce que ça va? Tu as fait une sacrée chute, dit le garçon aux lunettes de soleil en s'approchant.

— Oui, tout va bien. Ce n'est malheureusement pas la première chaise que je casse, expliqua Rochelle.

Elle se demandait si Deuce avait pu miraculeusement échapper au sortilège de Miss Flapper.

— Eh bien, je suis heureux que tu n'aies rien, dit-il d'une voix désincarnée.

Voilà qui répondait à sa question.

Deuce se crispa soudain, comme s'il venait de comprendre qu'il parlait à l'un des monstres recherchés.

— Rochelle, que fais-tu exactement dans ce bureau ?

— La Frappe m'a nommée gardienne de nuit, improvisa Rochelle tout en faisant signe à ses amis de ne pas se montrer.

— C'est un mensonge, répliqua Deuce avec fermeté.

— S'il te plaît, ne dis rien. Nous essayons de ramener l'école à la normale.

— La Frappe va vouloir te parler. Je n'ai pas d'autre choix que de te conduire à elle immédiatement.

— Je t'en prie, Deuce, laisse-moi partir, implora Rochelle, qui fit comprendre à ses amis de se tenir prêts à déguerpir.

— Je ne peux pas faire ça…, répondit Deuce lentement.

— Bien sûr que si. C'est moi, Rochelle, la seule goule qui ait jamais regardé au fond de tes beaux yeux.

— Tu es train de trahir ta propre espèce, et ce n'est pas bien, déclara Deuce d'un air résolu. Je vais chercher les trolls.

— Es-tu certain que c'est bien ce que tu veux faire ? demanda Venus avant de lui souffler violemment ses pollens à la figure.

— C'est dégoûtant, répondit Deuce avec colère en essuyant les particules orangées qui lui maculaient le visage.

— Oh-oh ! le sortilège est hermétique à mes pollens de persuasion.

— Trolls ! beugla Deuce.

— *Sauve qui peut !* hurla Rochelle en s'engouffrant dans le couloir en même temps que les autres.

Avec sa lenteur légendaire, Rochelle n'avait aucune chance d'échapper à Deuce. Sauf qu'au moment précis où il s'élançait à la poursuite de la jeune gargouille une nuée de chauves-souris s'abattit en piaillant sur la crête de serpents du garçon. La rivalité qui oppose les chauves-souris et les serpents pour le titre d'animal le plus détesté des normies est un fait bien connu de longue date. Le temps que les chiroptères aient fini d'injurier les reptiles, Rochelle et ses amis s'étaient évanouis depuis longtemps dans la nuit.

Une fois qu'ils eurent regagné la sécurité du labyrinthe, Cy leur révéla qu'il avait eu le temps de noter le nom et le téléphone de l'ancien établissement de Miss Flapper avant que Deuce fasse irruption dans le bureau. Il avait trouvé le dossier sous une plante verte, preuve des piètres qualités d'organisation du proviseur Santête.

— Il s'agit de l'Accademia di mostri de Léthalie du Nord, précisa Cy. Je vais devoir m'introduire en douce dans une des salles de classe. J'ai besoin d'un téléphone avec accès à l'international.

— On devrait venir avec toi, non ? proposa gentiment Robecca.

— Plus nous serons nombreux, plus nous risquerons de nous faire remarquer.

— Je suis d'accord, le soutint Venus. Mais est-ce que tu parles léthalien ?

— Seulement ce que j'ai appris de Freddie-Trois-Têtes. J'espère que quelqu'un là-bas parlera horroricain.

— Essaie d'abord la bibliorreur. Ce n'est pas très loin, et j'y ai déjà vu plusieurs fois le

docteur Clamdestine utiliser le téléphone, dit Rochelle. *Bonne chance*, ajouta-t-elle en lui glissant une épingle à chapeau en or dans la main.

Il était presque 4 h 30 lorsque Cy sortit discrètement du labyrinthe, passa les oubliettes et le cimetière, puis s'arrêta devant la porte de la bibliorreur. Il entreprit de forcer la serrure avec la belle épingle à chapeau de Rochelle. Il ne l'aurait admis pour rien au monde, mais sa nouvelle vie de hors-la-loi commençait à lui plaire. Conséquence inattendue de leur rébellion, il y avait gagné l'assurance qui lui faisait défaut jusqu'ici.

Après avoir réglé son compte à la serrure, Cy s'introduisit furtivement dans la classe poussiéreuse. Au fond, posé sur un bureau, il

trouva un téléphone noir patiné par l'usage. Il composa une longue série de numéros, entendit une tonalité étrangère à l'autre bout de la ligne et patienta.

—*Buongiorno !* répondit une voix masculine d'un certain âge.

—Euh... *bonjeerno,* répéta maladroitement Cy.

—Qui est à l'appareil ? demanda l'homme en horroricain avec un épais accent léthalien.

—Je m'appelle Cy Clops et je suis un élève de Monster High à Salem, dans l'Oregon aux États-Unis. Je souhaiterais m'entretenir avec le proviseur.

—C'est moi, zé souis le *signore* Vitriola.

—Une de vos anciennes enseignantes a été transférée chez nous. Vous vous souvenez peut-être d'elle... Miss Flapper ?

— Oui…, l'encouragea à continuer le *signore* Vitriola d'un air las.

— Eh bien, elle semble avoir jeté une sorte de sortilège sur notre école en chuchotant à l'oreille des monstres…

— Oh non ! Lé mal sé répand ! Laissez-moi tranquille. N'appelez plous zamais cé nouméro !

— Mais, monsieur, elle est en train de détruire notre école !

— Zé né peux rien pour vous. Z'ai dou fermer l'Accademia l'année dernière ! Zé n'ai pas eu lé choix… Zé n'ai pas pou l'arrêter.

— Vous parlez de Miss Flapper ?

— Zé vous en prie, zé veux oublier cette histoire. Vous sérez peut-être plous chanceux que moi avec le grimoire.

— Quel grimoire ?

— Vous dévez d'abord localiser la cryptothèque de votre établissement et…

— La quoi ?

— Toutes les écoles de monstres disposent d'oune pièce secrète appelée cryptothèque, où nous conservons les grimoires oultra sensibles. Cette pièce n'est en principe accessible qu'à un monstre titoulaire d'oune maîtrise en Sciences malignes. Mais z'imagine qué dans votre cas, il faudra faire oune esseption.

— Et où se trouve la cryptothèque ?

— C'est différent dans chaque établissement.

— Je vous remercie, *signore* Vitriola.

— Z'espère pour vous qu'il n'est pas trop tard, murmura le vieil homme avant de raccrocher brutalement.

CHAPITRE SEIZE

La cryptothèque n'était pas indiquée sur les plans de l'école, et nulle mention n'en était faite dans aucun courrier ni aucun rapport. Sans le *signore* Vitriola, ils n'auraient même jamais eu vent qu'une telle pièce existait. Ils apprirent plus tard que la Fédération internationale des monstres avait décidé de garder secrets l'existence et l'emplacement de ces cryptothèques par crainte que des élèves imprudents n'aient l'idée d'utiliser les informations sensibles qui y étaient conservées à des fins inappropriées.

Pour découvrir où se cachait la cryptothèque de Monster High, nos quatre amis devaient donc consulter les plans originaux. Par chance, toutes les cartes étaient stockées dans un cabanon caché au cœur du labyrinthe. Après avoir longuement étudié les cartes manuscrites, ils repérèrent une pièce située derrière le laboratoire de Sciences folles dingues qui pouvait être ce qu'ils cherchaient. Mais, lorsqu'ils allèrent vérifier sur place, ils ne trouvèrent qu'un local de service.

—Aucune de ces pièces n'est assez grande ! ragea Venus, penchée une fois de plus sur la carte quand ils furent revenus dans le labyrinthe.

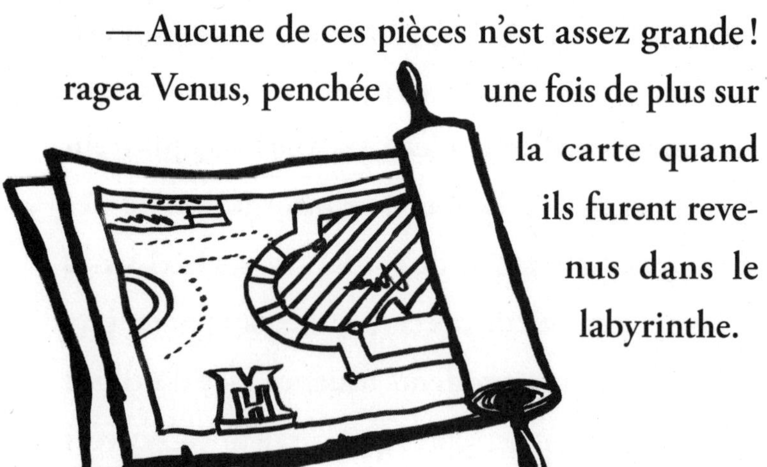

— Nous devons continuer de chercher, déclara posément Rochelle. Il n'y a rien d'autre à faire.

— Si ! On pourrait s'enfuir pour se faire engager par un cirque, plaisanta Venus.

— Argh ! les cirques ! Ils m'ont couru après pendant longtemps, s'anima Robecca. Mais Père a toujours refusé. Il disait que je risquais de rouiller en vivant sous une tente.

Cy continua d'étudier les plans longtemps après que les goules furent allées se coucher dans les fourrés. En dépit de leurs feuilles épineuses, les massifs d'arbustes étaient étonnamment moelleux.

— Hé ! les filles, je crois que j'ai une idée, dit le jeune cyclope d'une voix égale.

Éreintées au physique comme au mental après leur journée éprouvante, les interpellées lui firent ce qu'elles faisaient à leurs parents quand ils essayaient de les réveiller : elles lui tournèrent le dos et l'ignorèrent.

Cy laissa poliment passer dix minutes avant de tenter de nouveau sa chance.

—Hum, je crois que je tiens quelque chose. Quelque chose qui pourrait nous aider à trouver la cryptothèque.

—Quoi? Pourquoi tu ne l'as pas dit plus tôt? s'écria Venus en émergeant d'un coup de son fourré.

—Venus a raison, Cy. Tu dois vraiment apprendre à te faire entendre, le gronda Robecca, alors que Penny secouait la tête sans qu'elle sache pourquoi.

—Oui, Robecca. Tout ce que tu voudras.

—Je suis pétrifiée d'impatience. C'est quoi ton idée? demanda Rochelle tout en s'exfoliant le bras avec une feuille hérissée d'épines (elle était toujours prête à essayer tout ce qui lui tombait sous la main pour adoucir sa peau).

—En fait, je songeais à Rochelle…

—Ah bon? Bah! je ne peux pas t'en vouloir. Elle est vraiment très bath. En plus, elle a un accent. Il faut bien avouer que tout sonne beaucoup mieux avec un accent. Sapristi, tu disais ? Je me suis laissé dérouter, à ce qu'on dirait, débita Robecca d'une traite, avant de détourner les yeux d'un air penaud.

— Rochelle est la plus petite d'entre nous, plus petite que la moyenne des monstres...

— C'est techniquement exact, bien que je sois grande pour une gargouille, précisa Rochelle, piquée au vif.

— Elle est cependant capable de mémoriser davantage d'informations que nous tous réunis et cite des codes et des règlements comme elle respire...

— Et alors ? le pressa Venus.

— Vous ne voyez pas ? Nous sommes partis du principe que la cryptothèque devait être spacieuse et nous avions tort. Une petite pièce peut contenir tout autant d'informations.

— Sans blague, Cy ! Tu es un génie ! s'enthousiasma Robecca.

— Je ne sais pas, murmura-t-il. Mais je crois bien que j'ai localisé ce que nous cherchons. C'est la plus petite pièce sur les plans.

C'est ainsi que nos quatre monstres, vêtus de noir de la tête aux pieds, émergèrent du labyrinthe au plus sombre de la nuit, bien décidés à trouver la fameuse cryptothèque.

— Je sais que je ne devrais pas dire ça, mais je n'aime pas beaucoup les chauves-souris, chuchota Rochelle comme ils progressaient dans le corridor principal. Cette communauté ne semble pas avoir beaucoup de règles.

— Et toi, les règles, tu ne connais que ça, dit Vénus avec un clin d'œil à Cy et Robecca.

— Cy, est-ce que les cyclopes ont parfois besoin de lunettes ? Et, dans ce cas, à quoi

ressemblent-elles ? Ou bien vous préférez les lentilles de contact ? Je sais que c'est idiot, mais je suis horriblement curieuse. Et Penny aussi. Oh, mon Dieu, Penny ! Où ai-je pu la laisser ? Je l'ai déjà assez blessée comme ça, pétarada Robecca.

— Elle est au cimetière avec Roux et Chewlian pour leur sécurité, tu as oublié ?

— Ah oui ! c'est vraiment appréciable de pouvoir compter sur quelqu'un qui a une bonne mémoire.

— Et, pour répondre à tes questions, les problèmes de vue des cyclopes concernent surtout la vision périphérique et la perception de la profondeur, ce que des lunettes ou des lentilles ne peuvent pas corriger.

— Pas de chance, le plaignit Robecca.

— Hé ! les filles, on y est, les avertit doucement Cy en se couvrant le visage d'une main pour éviter une chauve-souris qui volait en rase-mottes.

Le risque de se retrouver avec une poussière dans l'œil, ou un insecte, voire un petit mammifère, rendait le jeune cyclope un peu nerveux.

— Pourquoi est-ce qu'on retourne au laboratoire ? voulut savoir Venus.

— Suivez-moi, se contenta de répondre Cy en guidant les filles entre les paillasses et les fioles jusqu'au local de service.

Mais il eut beau tripoter les robinets de l'évier, le chariot à balais, les canalisations, actionner les interrupteurs... rien ne se produisit.

— Tu es sûr que c'est ici ? Ce plan n'est pas facile à déchiffrer, dit Robecca pour le réconforter.

— C'est ici. J'en suis certain.

— Ah oui ? Pour ma part,

je ne suis plus sûre de rien, déclara Venus en donnant un coup de pied rageur dans le montant de la porte.

Un bruit rappelant celui d'un avion qui déploie son train d'atterrissage se fit entendre au plafond. Une épaisse échelle métallique en descendit, et s'arrêta à quelques centimètres du sol.

— Je croyais que tu avais dit que c'était *derrière* cette pièce ! s'exclama Robecca.

— C'est ce qu'on dirait sur le plan, répondit Cy.

Il empoigna l'échelle et se mit à grimper. Il disparut par un trou dans le plafond et progressa de quelques mètres avant de se trouver nez à nez avec ce qui était certainement la plus petite bibliothèque du monde. Moins d'un mètre carré, chaque millimètre de mur couvert de vieux grimoires reliés de cuir. Il passa rapidement les livres en revue (l'avantage d'être un cyclope) et son œil s'arrêta sur celui qui était intitulé *Chuchoter à l'Oreille des monstres*.

— Hé ! qu'est-ce qui se passe là-dedans ? appela Venus d'en bas.

— Je redescends, répondit Cy.

Cependant, lorsqu'il voulut prendre le grimoire, il s'aperçut que celui-ci était enchaîné au mur. Il devait bien reconnaître que c'était une méthode imparable pour éviter les habituels problèmes de vol de livres dans les bibliothèques.

Il regagna le local de service, expliqua aux filles le système de sécurité rudimentaire auquel ils se trouvaient confrontés, puis attendit qu'elles débattent de la situation.

— Alors, qui va lire le grimoire ? demanda Robecca d'un air entendu. Je me serais bien sûr portée volontaire avec joie, mais mes compagnes de chambre m'ont reproché plus d'une fois mon déficit d'attention, et je ferais donc mieux de m'abstenir. D'un autre côté, j'adore la lecture. J'ai dû lire au moins quatre fois *Cinq Semaines en dragon* quand j'étais petite…

— Je crois que nous sommes tous d'accord pour éliminer Robecca, l'interrompit Venus.

—Le plus logique, c'est que ce soit moi qui y aille, postula Rochelle. Je retiens mieux les informations que vous, c'est Cy qui l'a dit. En outre, je suis compacte et je peux me faufiler facilement dans de petits espaces.

—Je pensais plutôt que c'était à moi d'y aller parce que je suis plus ou moins le chef de notre groupe. Sans oublier que je m'y entends pour penser en dehors des clous, ce qui est un avantage certain vu la situation, contra Venus.

—Je ne reconnais pour chefs que ceux qui sont élus démocratiquement, et je n'ai pas le souvenir que nous ayons tenu une élection, décréta Rochelle gravement.

—Tu sais, je ne voulais pas en arriver là, mais j'ai peur que l'échelle cède sous ton poids. Souviens-toi de ce qui est arrivé dans le bureau avec la chaise.

Sentant la tension monter, Cy fit un pas en avant.

—Pourquoi pas moi? Il vaut peut-être mieux que j'y aille. Après tout, j'ai quand même un œil géant.

—Ça me va, se rendit Venus, et Rochelle hocha la tête.

Dix minutes plus tard, Cy était de retour et affichait une expression que les trois filles s'accordèrent à trouver indéchiffrable. Au lieu de leur dire ce qu'il avait découvert, il restait planté là à contempler le sol.

—Je t'en prie, Cy ! Nom d'un petit bonhomme en bois ! qu'est-ce que tu as trouvé ?

—Briser le sortilège d'un chuchoteur de monstres n'est pas facile, marmonna le jeune cyclope.

—Bon, « pas facile », ça nous connaît, répliqua Venus, pleine d'assurance.

—Disons que ce sera vraiment très dur, poursuivit Cy.

—« Très dur », ça ne nous fait pas peur, affirma Venus d'un air volontaire.

—Pour être tout à fait honnête, c'est quasi impossible, avoua Cy.

—S'il te plaît, Cy, contente-toi de nous dire

ce qu'il faut faire, intervint sèchement Rochelle, rendue plus que nerveuse par le suspense.

— Pour briser le sortilège, il faut faire avaler au chuchoteur une cuillerée de poudre de crosses de fougère herbacée tout en lui enroulant autour du cou un serpent fraîchement zombifié.

— Je dois bien reconnaître que ça n'a pas l'air évident, admit honnêtement Robecca.

— Et ce n'est pas fini, reprit Cy avec un soupir digne de M. Mort. Tout cela doit être exécuté à minuit pile.

— OK, je vois ce que tu veux dire par « quasi impossible », reconnut Venus. Malheureusement, c'est notre seule option.

Comme les chauves-souris, les quatre amis dormaient le jour et travaillaient la nuit pour préparer leur plan. Heureusement, certaines

tâches étaient simples, comme de réunir les ingrédients ou de décider quand lancer l'attaque contre Miss Flapper. Venus trouva de la poudre de crosses de fougère herbacée et du sérum ardent dans le bureau de M. Charcuteur au cours d'une de ses expéditions nocturnes. Quant au moment le plus propice à l'attaque, il n'y avait pas trente-six mille solutions : ce serait la nuit du Bal des Morts joyeux. À quelle autre occasion pouvaient-ils approcher Miss Flapper à minuit ? Le serpent, en revanche, fut plus coton à dénicher.

— Comment allons-nous… euh… procéder ? chuinta Robecca en regardant le mince serpent gris et jaune qu'ils venaient enfin de trouver dans la réserve à provisions de Mlle Hortimarmot.

La soupe au venin de serpent était en effet l'une des spécialités de leur professeur de Lards ménagers.

— Je ne sais pas, avoua Cy. M. Charcuteur n'a pas dit ce qu'il fallait faire du sérum une fois qu'on l'avait chauffé.

— Il suffit de l'introduire goutte à goutte dans la gueule du serpent jusqu'à ce que sa peau vire au gris et que ses mouvements ralentissent, expliqua Rochelle.

— Mais comment comptes-tu t'y prendre pour faire ouvrir la bouche au serpent ? interrogea Venus. Lui demander gentiment ?

— Pour ton information, je pensais ajouter au sérum un peu de fromage fondu. Comme les Scarisiens, les serpents raffolent des fromages qui puent. Dès que cette petite bête sentira l'odeur du camembert, elle ouvrira la gueule, tu peux me faire confiance, répliqua Rochelle, vexée.

— J'ai comme l'impression que nous avons oublié le principal. Comment nous introduire au Bal des Morts joyeux sans nous faire remarquer? demanda Robecca. Nos avis de recherche sont placardés partout.

— La solution tient en trois mots, déclara Venus. Club de théâtre.

CHAPITRE dix sept

Dissimulé entre les bosquets et les grands pins se trouvait le plus ancien et le plus glorieux des cimetières de Salem : le Squelettarium. Il était si vaste et si sophistiqué que c'était bien plus qu'un simple cimetière. C'était une nécropole, véritable cité des morts parsemée de tombeaux gigantesques, de mausolées artistiquement sculptés et de cryptes souterraines richement décorées. Il avait été édifié plusieurs siècles auparavant par Squelett O'Harâââ, une zombie exubérante qui

avait pour credo de ne jamais s'économiser dans la vie, dans la mort ou dans l'après-vie. Résultat des courses, les simples tombes traditionnelles étaient l'exception au Squelettarium. Les rares qui subsistaient avaient été érodées par la pluie et le frottement de nombreux pieds, et n'étaient plus que de vagues monticules pointant dans l'herbe.

Plongé dans l'ombre de jour comme de nuit, le Squelettarium était aussi lugubre que spectaculaire. Un défaut dans les plans du mausolée familial de Squelett O'Harâââ provoquait une sorte de sifflement, très léger mais sinistre. Ce n'était que le bruit du vent dans les fissures de la structure de marbre, mais on aurait dit un chuchotement – voire un gémissement les jours de grand vent.

Le soir du Bal des Morts joyeux, une légère brise produisait un chuintement à peine audible. Un bourdonnement si faible qu'il en était

presque gênant, comme celui d'une mouche dont on ne peut se débarrasser.

Nos quatre monstres étaient venus par la forêt et la tension était à son comble. Robecca, Venus, Rochelle et Cy devaient non seulement éviter les branches, les oiseaux et une grande variété d'insectes dans leurs costumes de loups-garous (empruntés au club de théâtre qui montait *Wolf Side Story*), mais aussi de se faire remarquer. Car s'ils se faisaient prendre maintenant, alors qu'ils étaient sur le point de mettre Miss Flapper hors d'état de nuire, tout serait perdu. S'ils échouaient, il n'y avait aucun filet de sécurité pour les protéger, eux et la ville de Salem. Tous étaient pleinement conscients de cette lourde responsabilité, Rochelle plus encore que les autres.

La jeune gargouille s'enorgueillissait habituellement de son calme, et de la pensée cartésienne qui lui permettait d'envisager toutes

les évolutions possibles d'une situation. Une qualité qu'elle avait toujours chérie parce qu'elle lui donnait les moyens d'assurer sa sécurité et celle de son entourage. Cette nuit, pourtant, Rochelle enviait l'optimisme confiant de ceux qui se lancent dans la bataille sans penser un instant aux conséquences d'un échec. Hélas ! on ne se refait pas. Rochelle était une gargouille, et rien n'était léger chez elle, ni le corps, ni l'esprit.

— Rochelle, pourrais-tu essayer de faire moins de bruit en marchant ? chuchota Venus, manifestement inquiète que le pas pesant de son amie attire l'attention sur eux.

— *Zut !* je fais ce que je peux, mais les gargouilles ne sont pas douées pour marcher sur la pointe des pieds. Ce n'est pas pour rien qu'on nous surnomme « les Pieds de Plomb ».

— Sers-toi de tes ailes !

— Ce serait encore plus bruyant ! siffla Rochelle.

Un énorme nuage de vapeur s'éleva derrière Venus, résultat des nerfs sous pression de Robecca.

— Saperlipopette ! je n'arriverai jamais à me calmer. Je suis sur des dragons ardents !

— J'entends des voix ! Vite, baissez-vous ! leur ordonna Venus, qui entraîna Robecca au sol avec elle.

Pour une fois, tout le monde apprécia le chœur infatigable des démons d'Halloween. Dans leurs plus beaux atours, les petites créatures à tête de citrouille cheminaient en chantant dans la forêt. Dès que les voix haut perchées se furent éloignées dans la nuit, Cy voulut se relever, mais Venus lui saisit le bras et secoua la tête. Le jeune cyclope n'entendait rien. La vérité était que personne – y compris Venus – n'entendait rien. Elle avait cependant perçu des relents d'odeurs corporelles mêlés d'eau de Cologne et de gel capillaire. Cela ne pouvait signifier qu'une seule chose : des trolls.

Quelques secondes plus tard, ils entendirent et ressentirent tous les quatre le martèlement de leurs pieds griffus marchant au pas. Ils ne furent donc pas surpris de voir soudain surgir un escadron de dix trolls, mais cela leur fit un choc de reconnaître Mlle Sue Nami parmi eux, vêtue du même uniforme marine et rouge. La conseillère principale des catastrophes n'avait jamais été leur amie, mais elle représentait la stabilité et ils lui avaient fait confiance durant leur bref séjour à Monster High, et c'était quelque peu démoralisant de la voir ainsi privée de son mordant habituel.

Le temps que les quatre jeunes monstres parviennent à la lisière de la forêt, ils avaient tous le poil frisé et ébouriffé grâce aux bouffées de vapeur de Robecca combinées aux assauts des branches d'arbres qu'ils venaient de repousser. Leurs dernières illusions sur la difficulté de ce qui les attendait s'évanouirent à la vue de l'impressionnant dispositif de sécurité déployé dans le Squelettarium. Tellement colossal qu'on aurait pu penser qu'Anguillary Clinton en personne était en visite officielle.

Tout le périmètre du cimetière était surveillé par un cordon de trolls tournés vers l'extérieur, à l'affût des agitateurs et des ennemis de La Frappe.

— Par les moustaches du grand mamamouchi ! couina Robecca en voyant les trolls. Comment allons-nous faire ?

— Nous sommes habillés de la tête aux pieds de fourrure de loup-garou. Nous serons moins suspects si nous passons par l'entrée principale qu'en essayant de nous faufiler en douce, décréta Venus. Mais tu vas devoir t'efforcer de contenir tes vapeurs, qui ne manqueraient pas de nous trahir.

— On ferait mieux de se tenir prêts, dit Rochelle en tirant un bocal en verre de son sac.

Le serpent jaune et gris dormait paisiblement au fond du récipient, sans se douter du sort qui l'attendait.

— Je dois avouer que je me sens coupable de zombifier cette créature sans son assentiment. Je ne pense pas que le Code éthique des gargouilles autorise un tel acte.

— Donne-moi donc le bocal. Les cyclopes n'ont pas de code éthique, proposa Cy. (Il prit aussi le mince tube de verre rempli d'un liquide vert et de morceaux de camembert que lui tendait Rochelle.) Tu as un briquet ?

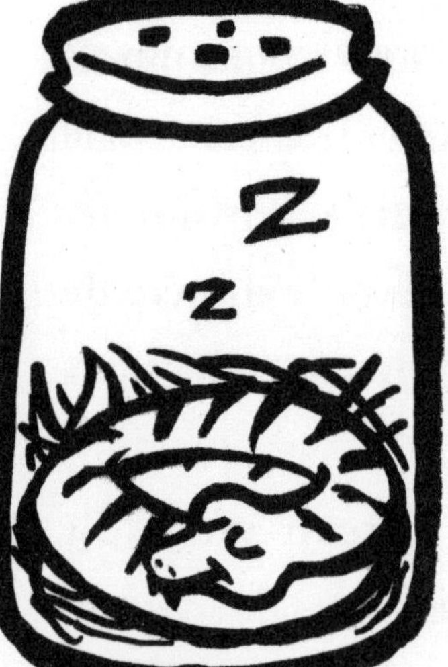

Cy appliqua la flamme sous le tube jusqu'à ce que les morceaux de fromage aient fondu et que le mélange frémisse.

— Il n'y a plus qu'à espérer que ce serpent ait du nez.

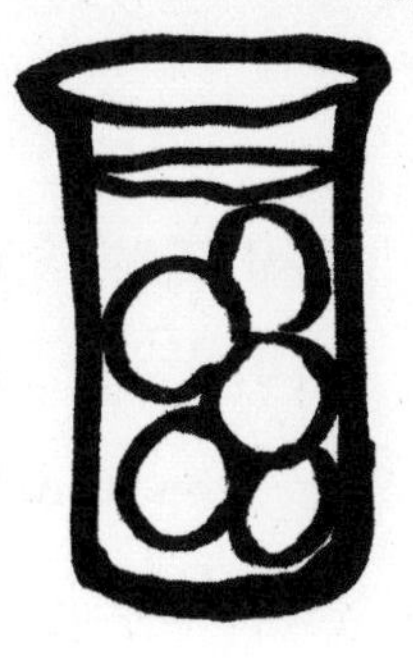

Le jeune cyclope introduisit une pipette dans le bocal du reptile. Loin de manifester son intérêt, le serpent jaune et gris ne daigna même pas tourner la tête.

— Je parie qu'il est allergique au lactose et déteste le fromage ! ragea Venus.

— Non, attends ! s'écria Robecca tandis que le serpent renversait soudain la tête en arrière pour boire au compte-gouttes.

Après avoir vidé tout le contenu de la fiole dans la gueule du serpent, les quatre amis guettèrent avec anxiété les premiers signes de zombification.

— Comment pourrons-nous savoir que ses mouvements se ralentissent s'il ne bouge pas du tout ? demanda Rochelle, toujours pragmatique.

— Sa peau ! Elle se ternit et prend une teinte grisâtre. Et regardez ses yeux ! Ils sont injectés de sang, s'exclama Cy, tout excité.

— Est-ce qu'on doit lui prendre le pouls, juste pour être sûrs ? se demanda Robecca à haute voix.

— Je crois que ce ne sera pas nécessaire, déclara Venus. L'heure tourne. Il est temps d'y aller.

Nos quatre jeunes monstres se présentèrent à 23 h 50 précises devant l'entrée principale du cimetière, à côté de laquelle se dressait une statue grandeur nature de Squelett O'Harâââ. Chose inquiétante, elle était habillée d'un long fourreau du soir rose Diorreur d'où pointaient deux ailes délicates et portait une perruque rousse en l'honneur de Miss Flapper.

— Quel gâchis de haute couture ! grommela Rochelle en s'approchant du premier groupe de trolls en uniforme.

— Rappelez-vous, si on nous pose la question, nous sommes des cousins de Clawdeen, du côté négligé de la famille, chuchota Venus aux autres.

La sensation que tous les yeux étaient braqués sur eux les assaillit comme ils passaient le cordon de trolls. Venus et Rochelle furent capables de se maîtriser, mais Cy et Robecca eurent plus de mal. Le jeune cyclope fut soudain pris de démangeaisons, comme si sa peau se rebellait contre le costume de loup-garou qui l'oppressait. Il réussit à ne pas se gratter, mais se mit alors à trembler de tous ses membres. On aurait presque dit qu'il avait une attaque !

Près de lui, les rubans de vapeur qui s'échappaient du nez de Robecca s'épaississaient de seconde en seconde. Et plus elle tentait de se calmer, plus elle était tendue, et davantage de vapeur encore s'échappait de son nez.

— Quoi problème ? grogna un troll à l'intention de Cy.

—Oh ! lui ? C'est la nervosité. Il a peur de ne pas être élu roi de l'école à cause de sa fourrure dépenaillée.

—Quoi dans nez vous ? demanda le troll en montrant Robecca du doigt.

—Nom d'une pipe en bois ! je crois que j'ai tout gâché, murmura-t-elle entre ses dents en refoulant ses larmes.

—Appelle la Nami, ordonna le troll à l'un de ses camarades.

—Non. Normal pour loup-garou, répliqua l'autre troll en leur faisant signe de passer.

Surprise, Venus se retourna et reconnut son ami au nez rouge.

Le Bal des Morts joyeux ne ressemblait à rien de ce à quoi ils s'attendaient, même si aucun d'entre eux ne savait vraiment à quoi s'attendre. Au lieu de musique et de rires, c'est un concert de chuchotements qui se déversa dans leurs tympans. C'était exactement ce qu'avait décrit

Cy : comme un millier de serpents sifflant tous en même temps. Blottis par petits groupes entre les cryptes et les mausolées couverts de mousse, les monstres chuchotaient religieusement à l'oreille les uns des autres. Les quatre amis traversèrent la foule en faisant attention à ne regarder personne pour ne pas risquer d'être reconnus.

Vers le centre du Squelettarium, ils trouvèrent une estrade dorée sur laquelle Miss Flapper se tenait, telle une reine accueillant son peuple. Vêtue d'une magnifique robe noir et or brodée à la main, elle était monstrueusement fabuleuse.

— Timing ? demanda Venus à Rochelle à voix basse.

La jeune gargouille sortit son iCercueil.

— Minuit moins trois minutes et vingt-deux secondes.

— N'oubliez pas, tant que nous suivons notre plan à la lettre, nous avons au moins cinquante

pour cent de chances de réussir, affirma fermement Venus.

— Je dirais plutôt quarante-trois et demi, la corrigea Rochelle.

— Par ma lanterne verte, tu sais y faire pour nous encourager !

Les quatre amis se tapèrent dans le dos pour se donner du courage et se dispersèrent dans trois directions différentes. À cause des problèmes de temps de Robecca, Cy l'accompagnait. De toute façon, il ne l'aurait jamais laissée seule au milieu de cette foule de monstres devenus fous.

Consumés de terreur, mais aiguillonnés par l'adrénaline, ils se positionnèrent sur les côtés de la scène. En cet instant précis, l'horloge interne de Robecca fonctionnait parfaitement. Alors que Cy et elle avaient les yeux braqués sur leurs iCercueils, attendant le moment d'attaquer, son esprit ne vagabonda pas une seule seconde.

Rochelle fut la première à passer à l'action à 23 h 59 min 30 s. Grimpant sur une crypte pour se donner de l'élan, elle jeta son corps de granit sur la scène. Comme prévu, cette diversion attira l'attention d'un troll. Sans perdre une fraction de seconde, elle se lança dans une course éperdue. Elle se déplaçait pourtant aussi lentement que d'ordinaire, mais elle avait l'impression de courir vite pour la première fois de sa vie. En réalité, il s'en fallut de quelques millimètres qu'elle soit capturée quand elle se jeta aux pieds de Miss Flapper, immobilisant l'enseignante.

Les trolls s'étaient rassemblés en masse et encerclaient à présent les quatre amis. Venus lança une attaque de pollens, soufflant ses particules orangées à la figure des trolls les plus proches. Ce fut ensuite au tour de Robecca, qui leur projeta des giclées de vapeur en plein visage, les faisant tomber à genoux.

— Maintenant ! cria Venus.

Elle enroula le serpent autour du cou mince et blanc de Miss Flapper. Robecca expédia alors un jet de vapeur dans les yeux de la délicate femme-dragon, qui se mit à hurler. Cy n'eut plus qu'à verser la cuillerée de poudre de crosses de fougère herbacée dans la bouche grande ouverte de l'enseignante.

— C'est une attaque ! Aux traîtres ! s'égosilla Miss Flapper, postillonnant la poudre de fougère à tout-va.

— Non ! Elle recrache la poudre ! cria Cy, tandis que Venus s'efforçait de maintenir avec ses lianes les mains fines mais puissantes de Miss Flapper.

Rochelle se cramponnait toujours aux jambes fuselées de la femme-dragon et ses griffes effilochèrent par mégarde le bas de la robe haute couture.

— Quel dommage… ce tissu était trop *mortel* ! se reprochait Rochelle entre ses dents quand elle prit soudainement conscience du silence qui s'était abattu sur le cimetière.

Toute activité avait cessé, monstres et trolls restaient lugubrement plantés là, presque figés. Frappée de stupeur, Rochelle relâcha lentement Miss Flapper et se releva.

— *Regardez !* Tout s'est arrêté, dit-elle doucement aux autres.

— Qu'est-ce que ça signifie ? chuchota Robecca avec anxiété, la vapeur lui sortant encore des deux oreilles.

— On a peut-être fait quelque chose de travers, supposa Cy en examinant la foule de monstres immobiles dont les visages exprimaient une profonde confusion.

— Oh non ! qu'est-ce qu'on a fait ? Et si c'était encore pire ? s'inquiéta Venus à haute voix, le stress faisant trembloter ses lianes.

C'est alors que des murmures commencèrent

à s'élever de la foule. Les monstres bâillaient, s'étiraient et se frottaient les yeux.

—Je crois qu'ils sont en train de se réveiller ! s'exclama Rochelle avec enthousiasme.

Les murmures s'amplifièrent au fur et à mesure que les monstres engourdis reprenaient conscience.

—Où suis-je ?

—Qu'est-ce qui se passe ?

—Comment je suis arrivé ici ?

—Ça a marché ! jubila Venus en sautillant sur place.

Jamais en reste pour les acrobaties, Robecca alluma ses bottes-fusées et s'éleva glorieusement dans les airs. Elle exécuta une série de cascades aériennes tellement spectaculaires que tous les monstres furent momentanément distraits de leur désarroi. Pendant quelques minutes, ils cessèrent de se demander pourquoi ils avaient le cerveau embrumé et se contentèrent de s'émerveiller devant le talent de l'une des leurs.

— Nom d'un petit bonhomme, je crois bien que nous sommes libérés ! s'écria joyeusement Robecca avant de regagner le sol.

— Libérés de quoi ? Je ne comprends pas ce que nous faisons tous là…, dit Frankie Stein en se massant les tempes.

— Hé ! où est Miss Flapper ? Nous avions rendez-vous, grogna un M. Mort dont la déconvenue était compréhensible.

Sans laisser le temps à Robecca, Venus ou Rochelle de répondre, Cleo de Nile s'avança dans la foule, écumante de rage.

— Attendez une minute ! C'est le Bal des Morts joyeux ? Oh, mon Râ ! pourquoi suis-je si mal fagotée ? Est-ce que c'est une blague ? se plaignit la princesse égyptienne en contemplant sa robe de velours côtelé marron brodée d'une tête de furet sur la poitrine.

— Chers élèves, annonça le proviseur Santête avec calme, je vais tout vous expliquer.

— Avec tout le respect que je vous dois, madame le proviseur, vous n'êtes pas en mesure d'expliquer quoi que ce soit. Vous ne savez pas ce qui s'est passé, déclara Rochelle avec fermeté.

— Eh bien, ce n'est pas une surprise. Demandons alors à Mlle Sue Nami ?

— Madame, gronda la femme-vague. Je ne me souviens malheureusement de rien. C'est flou dans mon esprit, comme un rêve que je suis incapable de me rappeler.

— Eh bien, ça, c'est une surprise ! s'exclama le proviseur Santête.

— La dernière chose dont je me souvienne, c'est de m'être engouffrée dans le corridor principal à la recherche de Miss Flapper, expliqua Mlle Sue Nami en tirant sur son uniforme trop petit.

— C'est bizarre. La dernière personne dont

je me souviens est aussi Miss Flapper, bredouilla Clawdeen.

Cela déclencha une réaction en chaîne dans la tête des monstres, qui se rappelaient tous de Miss Flapper. Tous les regards furent bientôt braqués sur l'élégante femme-dragon, toujours dressée au milieu de son estrade improvisée.

— Que nous avez-vous fait ? lui hurla Jackson, en colère.

— C'est complètement fou ! Nous devons aller dorrrmirrr, marmonna Blanche Van Sangre en entraînant sa sœur dans la crypte la plus proche.

— Vous m'en voyez navrée, mais je n'ai pas la moindre idée de qui vous êtes, ni du lieu où nous nous trouvons, murmura Miss Flapper d'une voix tremblante.

— Comme c'est pratique ! dit Venus en roulant des yeux.

Mlle Sue Nami rassembla Sylphia Flapper, les élèves et le reste du corps enseignant dans le vampithéâtre pour que Venus, Robecca, Rochelle et Cy puissent leur raconter la folie qui s'était emparée de Monster High ces dernières semaines. Tout le monde retint son souffle et Miss Flapper fondit en larmes dans un accès de chagrin impressionnant. La délicate femme-dragon était secouée de violents sanglots, visiblement horrifiée de ses propres actions. Elle jura ses grands dieux qu'elle était elle-même sous l'emprise d'un sortilège qui l'avait forcée à agir de cette horrible façon.

Draculaura essuya quelques larmes de compassion.

— Pauvre Miss Flapper !

— Je sais combien il est pénible de perdre la mémoire, et j'imagine ce que ce doit être de ne pas vouloir se souvenir, déclara le proviseur Santête avec sagesse.

— Madame, il est de mon devoir de vous avertir qu'il n'est pas bon de fraterniser avec l'ennemi, éructa Mlle Sue Nami sans ménagement avant de s'ébrouer sur la directrice.

— Ne soyez pas stupide, Mlle Sue Nami. Miss Flapper est aussi une victime au même titre que chacun d'entre nous…

Robecca, Rochelle et Venus n'en n'étaient pas aussi sûres ; le mot « victime » résonna longtemps dans leur tête, leur rappelant qu'elles ne détenaient pas toutes les clés.

Dans les jours qui suivirent, Monster High retrouva sa routine habituelle, même si les élèves eurent davantage de devoirs. La période des chuchotements leur avait fait prendre du retard sur le programme et ils durent mettre les bouchées doubles pour le combler. Le

docteur Clamdestine, M. Charcuteur et les autres professeurs leur proposèrent même des cours de rattrapage pendant les week-ends. Après un débat animé, le proviseur Santête et Mlle Sue Nami décidèrent de garder les vieux trolls, qui s'y entendaient plutôt bien pour le maintien de l'ordre. Et puis qu'aurait-on fait d'eux autrement ?

Ces terribles événements eurent pourtant des répercussions positives en rapprochant élèves et professeurs, qui œuvrèrent main dans la main pour ramener la vie de leur école à la normale. Tous étaient tellement impatients de laisser tout ça derrière eux que personne ne posa la question essentielle – celle-là même qui trottait dans la tête de Robecca, Venus et Rochelle. Si Miss Flapper était elle aussi une victime, alors, qui lui avait jeté ce sortilège ? Et surtout, dans quel but ?

— Je n'arrive pas à croire que le moment est déjà venu de choisir nos matières du prochain trimestre, gronda Robecca en se glissant entre ses draps en bandelettes de momie avec son pingouin de compagnie.

— Robecca, je crois que tu as couché Penny à l'envers, lui fit remarquer Rochelle, montrant les petites pattes mécaniques qui pointaient sur l'oreiller.

— Ça, par exemple ! s'exclama Robecca en éclatant de rire.

— Alors, qu'est-ce qu'on fait ? On s'inscrit aux cours de Sciences dragonométriques de Miss Flapper ? demanda Venus à ses amies, par provocation.

— Après avoir vu l'école tout entière tomber sous le charme d'un sortilège et dû sauver tout le monde, je crois que je vais la jouer cool ce trimestre et éviter les zones de turbulences, répondit Rochelle.

— Est-ce que ça veut dire que tu vas laisser M. Mort tout seul ? s'étonna Venus en arquant les sourcils.

— Bien sûr que non ! Je suis une gargouille. Je ne peux pas laisser une mission inachevée ! Je n'aurai de repos tant que cet homme n'aura pas souri !

— Bah ! heureusement que tu es à Monster High pour plusieurs années, la charria Robecca.

— Je n'aurai pas besoin de tout ce temps puisque vous serez là pour m'aider, les goules, dit Rochelle le plus sérieusement du monde. Vous n'êtes pas au courant ? Être meilleures goules pour la vie implique aussi de se soutenir mutuellement, quels que soient nos projets.

— Entièrement d'accord ! Meilleures goules pour la vie ! Je suis épouvantastiquement ravie de compter une gargouille parmi les membres fondateurs du premier silo à compost de

Monster High ! répliqua Venus avec un sourire malicieux.

— Venus, *je t'en crie*, ne nous emballons pas…

DE : LÉTHALIE
POUR : CY CLOPS

épilogue

Deux mois après le Bal des Morts joyeux, Cy Clops reçut un pli expédié par Macchab Express. Rochelle, Robecca et Venus elles-mêmes avaient renoncé à découvrir qui était derrière la belle chuchoteuse de monstres. Ils avaient retrouvé leur vie d'avant. Jusqu'à ce qu'ils ouvrent le pli…

> « Ils reviendront à Monster High, comme ils l'ont fait ici. Vous devez rester vigilants et ne jamais baisser la garde.
>
> Signore Vitriola »

Et c'est ainsi que tout bascula de nouveau. Ils avaient peut-être remporté une bataille, mais la guerre n'était pas finie. Restait à découvrir qui était leur ennemi…

Achevé d'imprimer en septembre 2013
N° d'impression 1308.0077
Dépôt légal, octobre 2013
Imprimé en France
36231099-1